KB186787

에스페란토 - 한글 대역시집

고립(Izolo)

칼만 칼로차이(Kálmán Kalocsay) 지음
장정렬 (Ombro) 옮김

칼만 칼로차이(Kálmán Kalocsay: 1891-1976)

이 번역시집의 텍스트는

『**Izolo**』(Kálmán Kalocsay, UEA, Rotterdam, 1977)입니다. 또 다음 자료도 이용했습니다.

1.https://egalite.hu/kalocsay/izolo.htm.

2.https://egalite.hu/kalocsay/Omagxe-1.pdf.

에스페란토 - 한글 대역시집

고립(Izolo)

칼만 칼로차이(Kálmán Kalocsay) 지음
장정렬 (Ombro) 옮김

진달래 출판사
(Eldonejo Azalea)

고립(Izolo)
인 쇄 : 2023년 6월 26일 초판 1쇄
발 행 : 2023년 9월 14일 초판 2쇄
지은이 : 칼만 칼로차이(Kálmán Kalocsay)
옮긴이 : 장정렬(Ombro)
펴낸이 : 오태영
출판사 : 진달래
신고 번호 : 제25100-2020-000085호
신고 일자 : 2020.10.29
주 소 : 서울시 구로구 부일로 985, 101호
전 화 : 02-2688-1561
팩 스 : 0504-200-1561
이메일 : 5morning@naver.com
인쇄소 : TECH D & P(마포구)

값 : 10,000원
ISBN : 979-11-91643-94-7(03890)

Enhavo(차례)

ANTAŬPAROLO

En 1939, la "sepdeksepa libro eldonita de Literatura Mondo" devis esti *Izolo,* la unua poemaro de Kalocsay post *Streĉita kordo* kaj *Rimportretoj*(1931). La volumo estis presita; sed ĝi neniam estis bindita, ĉar komenciĝis la Dua Mondmilito kaj sekvis ses jaroj dum kiuj — kiel antaŭdiris Kalocsay en sia "Adiaŭo" fine de la nuna volumo — "dezertaj koroj, kaj, post sangelĉerpo, la landoj same iĝis jam dezertoj..." Kvankam Kalocsay kaj la travivintaj fideluloj sukcesis poste restarigi, provizore, Literaturan Mondon, tamen la malnovaj oktavoj de Izolo kuŝis forgesitaj kaj ŝimantaj. Nur dank' al vizito de Reto Rossetti, kelkajn jarojn post la milito, saviĝis — sed li rakontu mem (Esperanto, marto 1976, p.46):

"Aŭ ĉu mi rakontu pri lia nova poemaro *Izolo,* presita ĵus antaŭ la militeksplodo, sed neniam eldonita? Mi tede petegis 5 ekzemplerojn ĝis fine li konsentis kaj gvidis min al kaduka barako, kie la oktavoj kuŝis disŝutite sur la tera planko. Mi zorge kolektis kvin kajerojn, kiuj do fariĝis la solaj postrestintaj ekzempleroj en la mondo."

Jen bibliofila historio! Praktike, unua eldono kvinekzemplera — kaj eĉ tiom nur preskaŭ hazarde! Kaj laŭ unu el tiuj raregaĵoj, donacita de Reto al mi, povis pretiĝi la nuna "dua" eldono tridek ok jarojn poste...

Ĉiuj literaturamantoj avide trafos la okazon koni la poemojn en tiu ĉi libro. Kalocsay estas kaj restos unu el la ĉeffiguroj en la historio de Esperanto, kaj sekve ĉiu lia verko estas elstare grava por konstato kaj kompreno pri la direkto kaj evoluo de lia talento. La plimultaj esperantistoj por la unua fojo legos la plimultajn ĉitieajn poemojn — ekzemple, la ekskvizitajn japaneskojn — ĉar nur malmultaj aperis aliloke, en *Ora duopo* aŭ *La kremo* de Kalocsay.

Kiom koncernas la tekstojn en *Ora duopo*, *Izolo* havas kroman intereson. Nome,

Kalocsay estis poeto, kiu konstante reviziis siajn tekstojn, kun la sekvo, ke pluraj el la koncernaj tekstoj aperis reviziite en *Ora duopo.* Ĝenerale (eble la sola escepto estas la unua strofo de la unua "Malnova Madrigalo") la ŝanĝoj estas malgrandaj; sed verŝajne mi ne estos la sola, kiu trovos la postpensojn de la poeto ne nepre plibonigoj ... Ĉiuokaze, tio starigos siatempe belan problemon por liaj editoroj!

Intertempe la legantoj trovos en *Izolo* plurajn el la plej belaj lirikoj iam verkitaj en Esperanto. Kaj en la sekcio Sur la monto Nebo ili trovos la ĝustan senesperan etoson de la jaroj precize antaŭ la katastrofego, kiun ĉiu klarvidulo sciis neevitebla.

Entute oni povas diri, ke sen *Izolo* nia scio pri Kalocsay estus grave manka kaj dolore unuflanka.

W. Auld

서문

『고립(Izolo)』은 1939년 당시 『문학세계(Literatura Mondo)』 제77호 도서로 발간 준비가 되어 있었다. 이는 저자 칼로차이가 1931년 발표한 2권의 시집 『긴장된 현(Streĉita Kordo)』과 『운(韻) 초상화(Rimportreto)』 이후 첫 시집이기도 했다. 이 시집은 인쇄 준비까지 해 두었으나, 책으로는 빛을 보진 못했다. 이유는 제2차 세계대전이 발발해, 6년이라는 시간이 흘러가 버렸다. 그 기간에 대해 칼로차이는 /이별/이라는 작품 말미에 이미 일찍 이렇게 말해 두었다–

사람들 마음도 이제 삭막해져 있고, 또 피마저 다 쓴 뒤, 각 나라도 똑같이 사막처럼 될 거요.

그 뒤, 칼로차이는 제2차 대전에서 살아남은 충실한 에스페란티스토들과 힘을 모아 임시로 『문학세계』를 복간했으나, 『고립』이라는 제목의 이 구식 8절판 형식의 책에 대해선 잊고 있었고, 곰팡내가 나 있었다. 그러나 전쟁이 끝난 몇 년 뒤, 레토 로세티(Reto Rosetti)가 이 작품을 발굴해 냈다. 로세티가 직접 한 이야기를 들어보자(『Esperanto』지, 세계에스페란토협회, 1976년 3월호, p46):

“2차 대전 발발 전, 인쇄 준비까지 되어 있었지만, 책으로 출간하지 못한, 그분의 새 시집 『고립』에 대해 말해 볼까요? 나는 저자에게 다섯 권을 달라고 하였는데, 마침내 저자의 동의를 얻고서 허름한 임시 막사로 안내를 받아 가보니, 제본을 앞둔 8절판의 그 시집이 땅바닥에 흩어진 채 놓여 있었답니다. 나는 5권을 간추려 집어 들었지요. 이것이 계기가 되어 이 작품은 세상에 다행히 살아남았지요."

이 시집의 소장자였던 분의 이야기이다! 실제로 <초판>은 5권- 그리고, 아주 우연하게도 그 부수만큼! 로세티는 그 희귀본 중 하나를 지금 서문을 쓰는 내게 선물했고, 그 이후 38년만인 오늘 <제2판>을 낼 수 있게 되었다.

문학 애호가라면 누구나 이 시집에 실린 작품들을 꼭 감상해 보려 할 것이다. 칼로차이는 에스페란토 역사에 있어 엄청나게 이바지한 인물로 자리를 차지하고도 남을 것이다. 따라서 그의 모든 작품은 그의 재능의 방향과 발전에 대한 확인과 이해를 위해 특별히 중요하다. 대다수 에스페란티스토들은 여기에 실린 그의 작품들을 단숨에 읽어 내려갈 수 있을 것이다. 예를 들어, 일본풍의 작품들의 경우엔-. 왜냐하면 적은 수효들만 다른 곳에, 예를 들어 칼로차이의 『황금의 두엣(Ora Duopo)』이나, 『크림(La Kremo)』에서 볼 수 있으니.....

『황금의 두엣』의 수록 작품들과 관련해서도, 『고립』은 여분의 관심을 받을 만하다. 말하자면, 칼로차이는 자신이 쓴 시들을 계속 수정해 나가는 성격의 시인이다. 따라서 이 시집에 실린 여러 작품이 『황금의 두엣』에 수정되어 실려 있다. 하지만 대체적으로 그 수정은 그리 많지 않다.(아마도 유일한 예외라고 한다면 초기의 /옛 목가/의 제

1연이다). 그러나 나는 그 시인이 나중에 수정한 생각들이 처음보다 반드시 낫다고는 보지 않는 사람 중 한 사람이다....어쨌든, 그것은 당시 그의 편집자로서의 아름다운 문제 제기가 될 것이다.
그 밖에도 독자들은 지금까지 에스페란토로 저술된 가장 아름다운 연가 중 여러 편을 『고립』에서 발견하게 될 것이다.
 그리고 <느보 산 위에서>라는 작품에서는 그것도 사태를 낙관적으로 보는 모든 사람조차도 피하지 못하고 닥칠 재앙을 앞둔 몇 년간의 절망감을 보여주고 있다.
 전체로 보면 『고립』을 빼고는 칼로차이에 대한 우리 지식은 아주 중요한 결함이 되고, 단면만 보는 것이라 말하고 싶다.

윌리엄 올드(W. Auld)

Pri la poeto

Kálmán Kalocsay

(1891. 10. 6 ~ 1976. 2. 27)

Profesoro, kuracisto, hungaro. Estas granda figuro en la Esperanta literaturo kaj en la evoluigo de la lingvo. Li lernis Espernton en 1911, debutis kiel poeto en 1921 kaj okupis pintan lokon per *Streĉita Kordo*(1931). Poste li turnis sin ĉefe al redakta kaj traduka laboro. el lia vasta tradukaro elstaras *La Tragedio de l'homo, Libero kaj Amo, Eterna Bukedo, La Infero, Reĝo Lear, Somermeznokta Sonĝo, La Tempesto* ka —en kunlaboro kun G. Waringhien - *La Floroj de l' Malbono kaj Kanto ka Romancoj.* Li redaktis la volumon *Hungara Antologio*, de kiu li tradukis preskaŭ la tutan poezioan parton. Kiel ĉefredaktoro de la legeda *Literatura Mondo.* li profunde influis la inter—ka postmilitan verkistaron Esperantan. Ne malpli influa estis liaj prilingvaj verkoj: *Lingvo Stilo Formo, Vojaĝo inter la Tempoj* kaj denove kunlabore kun G. Waringhien-*Plena Gramatiko, Parnasa Gvidlibro.* Li ests honora membro de Universala Esperanto—Asocio.

— 한글은 157쪽에

Gratulparolo

Gratulon mi volas doni pro la publikigo de la verko de poeto Kálmán Kalocsay en Esperanto kaj en Korea lingvo(Hangeul). Kiel hungara poeto, li havas sufiĉe bonegajn poezikapablojn por traduki ĉiujn poemojn de 『Hungara Antologio』, kaj mi pensas, ke estos granda plezuro aprezi ĝin, ĉar ĝi estas poemaro de verkisto, kiu havas diversajn kapablojn en lingvo.

Dum mi skribas poezion pri la emocioj, kiujn mi sentas en mia vivo, mi senespere rimarkas, ke verki poezion ne estas facile, kaj mi ĉiam retrorigardas mian vivon humile.

Mi dankas, ke mi povas kunhavigi kun homoj tra la mondo la koron de la poeto, kiu kontribuis sin al Esperanta literaturo kaj publikigis verkojn kun la spirito de Esperanto por la mondpaco.

Fine mi laŭdas la tradukiston Ombro JANG pro lia laborego.

- Mateno(poeto kaj eldonisto)

축사

칼만 칼로차이 시인의 시집 『고립』을 에스페란토와 한글 번역으로 함께 실어 출간함에 축하드립니다.

헝가리 시인으로 『헝가리문선』에 실린 시 전부를 번역할 만큼 시에 탁월한 능력을 가졌고 언어에 대한 다양한 실력을 보유한 작가의 시집이기에 감상의 즐거움이 크리라 생각합니다.

살면서 느끼는 감정을 시로 쓰다 보니 시 쓰기가 쉽지 않다는 것을 절실히 깨닫고 늘 겸허하게 내 삶을 돌아봅니다.

세계평화를 위한 에스페란토 정신을 마음에 가지고 어려운 상황 속에서도 에스페란토 문학을 발전시키며 책을 펴낸 시인의 마음을 전 세계인들과 나눌 수 있음에 감사드립니다.

또한 장정렬 번역자의 노고에 찬사를 보냅니다.

- 오태영 (시인 및 출판사 대표)

IZOLO

Pli kaj pli la izolo de ekzilo
Min ĉirkaŭfermas: inter la tumulto,
Kaj tamen sola, sola, en azilo

De sentoj fremdaj al la granda multo,
Mi vivas fremde, mire, senkomprene,
Kiel de praa, senadepta kulto

La lasta pastro, kiu surpostene
Persistas, kaj en la malplena templo
L' antikvan riton gardas malserene,

Izole, rustiĝinte de kontemplo
Silenta, reve pri l' malnova brilo,
Senfrate, ekzilite el la tempo;

Aŭ kiel la krevinta sonorilo,
Kiu en la duonruina turo
Silentas, forgesinte pri l' jubilo

De himnoj en dezerto, kien spuro
De hom' ne, gvidas plu; kaj kiu psalme
Neniam vokas plu al preĝmurmuro:

Nur vent' eksvingas ĝin danĝeralarme...
1938

고립

추방이라는 고립은
더욱 더 나를 가둬 놓네: 수용소의
왁자지껄함도 나에겐 외롭고 외롭다네.

이질감을 비롯해 군중에 이르기까지
낯설고, 놀라며, 오해 속에 나는 살아가네.
마치 원시의, 받아들여지지 않은 예배처럼.
텅빈 성당에 마지막
남은 성직자는 끝내 자리를 지키며,
침울하게도 전래의 의식(儀式)을 지켜가고,

옛 번영을 그리며 고립된 채,
고요한 정관(正觀)에 녹슨 채
고립무원한 채 시간마저 나를 추방하네.

마치 이미 녹슨 종루 안에서
환호를 잊고
침묵하는 깨진 종처럼.

사람의 자취가 더 이상 길 안내자가 되지 못하는 사막에서
들려오는 찬가의 환호마저 잊고, 더 이상
종소리는 시편 한 귀절의 기도마저 못 부르게 되었구나:

바람만 위험경보를 전하며 달리네......(1938)

Verdstele

Ho Esperanto! mia temo
Amata, kiam la kantemo
Min kaptas! vidu! lastatempe
Min jam minacas anatemo,

Ĉar mi kuraĝas vin tro ami.
Jes, oni volas min proklami
Hereza, ĉar per nova brilo
Kaj riĉ' mi volas vin ornami.

Nu, mi toleras sen lamento,
Defendas min la argumento:
Palacon pompan alpostulas
La pompe—firma Fundamento!

Ni do konstruu sen ŝancelo
Tiun palacon de la Belo!
Por kiuj fundament' sufiĉas,
Nu, tiuj loĝu en la kelo!

초록별로

오, 에스페란토!
님의 노래가 저를 휘감는,
제 사랑의 화두에요! 보셔요!
저는 최근 파문당할 위협을 받고 있어요.

까닭은 제가 감히 님을 너무 사랑하여서예요.
그래요, 지금 사람들이 저를 이단으로
몰려 해요. 까닭은 제가 님을 찬란함,
풍성함으로 새로 단장하려 함이에요.

오호, 저는 탄식하진 않아도,
이런 주장으로 저를 맡기려 하오:
님의 궁전을 빛나게 해주는 것은
찬란하고 확고한 푼다멘토[1]라오!

저희는 흔들리지 않고
아름다움이라는 궁전을 지어 가려 해요!
기초로 충분하다는 이들에겐,
오호, 그이들은 지하실에 살게 해주오! (1934)

---

1) *역주: 에스페란토의 기초

ZAMENHOFA BALADO

Kiam li antaŭ kvindek jaroj
L' Unuan Libron ekkaresis,
Kaj inter liaj okulharoj
Grandguta ĝojo—larmo mezis,
La Verk' por kiu li elspezis
Junaĝajn ĝojojn, staris brile –
Ekkanti al li tre necesis:
«Ho kor', ne batu maltrankvile!»

Kaj kiam, malgraŭ ĉiuj baroj,
L' afero, kreskis kaj progresis,
Kaj la entuziasmaj aroj
Adeptaj en Bulonj' kongresis –
Mirakla sento lin impresis
Kaj krii volis li jubile
(Sed gorĝsufoko ne permesis):
«Ho kor', ne batu maltrankvile!»

Kaj en la tempo de l' amaroj,

Kiam la mondo murd—ekscesis,

El homa sango kreskis maroj,

Kaj jam esperoj ĉiuj ĉesis –

Al koro, kiu tiel pezis

En brust' spiranta malfacile,

La lastan peton li adresis:

«Ho kor', ne batu maltrankvile!»

Majstro! La mondo refrenezis,

Kaj nun alvokas ni simile,

Ĉar nin kruelaj vundoj lezis:

«Ho kor', ne batu maltrankvile!»

1937

자멘호프 발라드

그이가 오십 년 전에
『에스페란토 제1서』를 품에 안고,
그이의 눈썹 사이로
큰 방울의, 환희의 눈물이 맺힐 때,
그이가 젊은 나날의 기쁨을 다 쏟아 만든
작품이 당당한 모습을 드러내게 된 때, -
그이에게서 이런 노래 나옴은 아주 적절했다네:
"오, 심장이여, 제발 이 가쁜 숨을 진정시켜 주오!"

그리고 모든 어려움에도,
우리 일[2]은 시작되어,
성장하고, 또, 열렬한 동료들이 이 일에 참여해,
불로뉴[3]에서 대회를 개최했을 때-
기적 같은 감정에 그이는 감동되어
그이는 환호 속에 이렇게 외치고 싶었다네.
(목의 숨 막힘은 허락되지 않았지만):
"오, 심장이여, 제발 이 가쁜 숨을 진정시켜 주오!"

---

2) *역주: 에스페란토 운동
3) *역주: 제1차 세계에스페란토대회 개최지

그리고, 고난의 시대를 살면서,
온 세상에 살육이 넘쳐나고,
사람의 피로 바다를 이루었고,
또 이제 희망마저 꺾이자,—
힘들게 내쉬는 가슴에서

그렇게 무겁게 느껴지던 심장을 향해,
그이는 마지막으로 요청했다네:
"오, 심장이여, 제발 이 가쁜 숨을 진정시켜 주오!"

마이스트로여! 세상은 다시 미쳤고
또 지금 우리는 비슷한 호소를 합니다.
우리가 잔혹한 상처들로 손상을 입었기 때문입니다.
"오, 심장이여, 제발 이 가쁜 숨을 진정시켜 주오!"
(1937)

UEA JUBILEAS
1908 -1933

UEA! Ĝin la entuziasmo nobla
Do arda juna koro iam naskis;
Ĝin vartis poste kun fervor' milobla;
Por ĝin kreskigi ĉiujn fortojn faskis;
Ĝin savis, kiam la hom–menso sobra
En la terura mondo–brul' fiaskis;
Ĝi batis ĝis la morto por ĉi verko
Kaj ame ŝirmis ĝin eĉ el trans ĉerko.

Ho Hektor Hodler: koro ideala
Kaj mens' praktika, estu al vi gloro!
L' okuloj ardis el vizaĝo pala,
La korp' malsana brulis de fervoro
Kaj ĝi forbrulis frue. Sed la ŝtala
Volforto ja persistis en laboro
Ĝis lasta hor' kun senkompara vervo,
Por ke la Lingvo iĝu il' de servo:

La nobla il' de servo reciproka,
Kvazaŭ la baza ĝermo de l' Ideo,
Kiu la mondon savos el sufoka
Malbeno de malamo kaj pereo.
Majest–naiva cel'! Trans kruto roka
Ĝi logas kiel nekaptebla feo.
Sed tamen! Estas la plej sankta febro
De l' homa koro: strebi por Neeblo.

Ho ve! Neniam la esper' pli ĉesis
Pri ĝia kapto, ol en niaj tagoj.
Pli kaj pli svenas, kio jam promesis
Por la homaro savon el la plagoj.
Pri l' veraj celoj nia mond' forgesis
Kaŝinte ilin sub la drap' de flagoj,
Preparas sin dum tinto de armilo
Por trista reciproka malutilo.

Ĉu estos halto sur ĉi vojo glita,
Aŭ sekvos falo, la terura falo?
Ĉu ree la homaro ekscitita

Sin donos en la manojn de Fatalo
Ne plu regebla? Ĉu nur post malsprita,
Sensenca kaj senŝanca fratbatalo
Saĝiĝos kaj ekhontos la homgento
Kaj sin priploros kun amara pento?

Kaj, ĉu UEA, eta vel' sur maro,
Utilas en Ĉi tempo kataklisma,
Aŭ ni perei lasu ĝin sen faro,
Kun ŝultrolev' facila, nihilisma?
ĉu, se altaro falas post altaro,
Ĝi, ankaŭ, falu al profund' abisma?
En uragano, kie krozas mevoj,
Kion ja serĉus la boat' de revoj?

Ne, fratoj, ne! Ni gardu la heredon
De tiu arda, nobla kor' fidele!
Ni donu al ĝi helpon, forton, kredon,
Ni ŝirmu ĝin persiste, senŝancele -
Ni ĝin ellevu super la obsedon,
Kiu la mondon premas nun kruele:

Ĝi ostu, en konfuzo kaj malordo,

Simbolo netuŝita de l' Konkordo!
Simbol' de l' ĉiuhoma societo
Ne disŝirita rase, gente, sekte,
Sed kunvivante bene, en kvieto,
Kaj sin servanta helpe kaj protekte!
Ho ne ŝiriĝu tiu paca reto,
Per kiu ĝi la mondon ligas plekte!
En la diluv' minaca de la tero,
Ĝi estu la insulo de l' Espero!

1933

우에아(UEA[4]) 창립 25주년(1908-1933)

우에아! 언젠가 열렬하고 젊은 한 사람의
고결한 열의로 너는 태어났다네;
그이는 모든 노력과 일천 배의 열성으로
너를 키웠다네; 자제심을 가진 인간 정신이
저 잔혹한 세상 화마 속에 타고 있을 때 그이가 너를
구했다네. 너는 죽음의 관에까지 부딪혔으나,
죽음의 관으로부터도 너를 구해 사랑으로 보호했네.

오, 헥토르 호들러(Hector Hodler)[5]:
이상(理想)의 기백, 실용의 정신을 가진 그대에게 영광이 있으라!
얼굴은 창백해도 두 눈은 더욱 빛나고,
신체는 허약해도 열정은 활활 타올라,
그래서 그이 몸을 일찍이 태워 버렸네.
강철 같은 염원의 그 에너지는 비교될 수 없는 기백으로 생애 마지막 순간까지 우리 언어가 봉사의 도구로 사용되기를 바라면서 우리 협회 사업을 위해 애썼다네.

상호 봉사의 고결한 도구는
이상(理想)의 근본이 되어
질식하는 증오, 파멸의 저주부터

---

4) *역주: 세계에스페란토협회
5) *역주: 세계에스페란토협회 창설자

이 세상을 구하리라.
장엄하고 순진무구한 목표! 우에아는 모난 바위를 넘어 붙잡을 수 없는 정령처럼 매력이 되었다네.
그러나, 그럼에도! 사람 마음의 가장 신성한 열정이 있다면: 그건 바로 불가능함에의 도전이라네.

애통해라! 우리가 살아가는 이 시절보다도 더
열성을 붙들 희망이 멈춰버린 때가 없구나.
재앙으로부터 인류를 구원하리라던
약속은 더욱 저버렸네.
진정한 목표들을, 그 기치들의 천 조각 아래 숨긴 채,
우리 세상은 망각한 채,
슬픔의 상호 불이익을 위해
달그락거리며 무기를 준비하는구나.

이 미끄러운 길에서 멈춰질까?
아니면 추락, 저 잔혹한 추락이 뒤를 이을까?
다시 흥분한 인류는 자신을 더 이상 통제할 수 없는 숙명의 손에 맡길 것인가?
멍청하고도 무의미하고 승산 없는 형제 싸움이 끝난
뒤에서야 현명해질 것인가?
또 인간종족은 쓰디쓰게 후회하며 스스로
부끄러워하고 한탄할 것인가?

그리고, 바다 위의 작은 돛배인
우에아는 이 대변혁의 순간에 유용한가?
아니면 우리는 아무 할 일 없이 우에아를 가볍

게
또 비관적인 태도로 어깨나 들썩이며
아무 일도 않은 채 망치게 내버려 둘 것인가?
만약 제단(祭壇)이 제단 뒤로 넘어지면,
이 우에아는 더 깊은 심연으로 떨어질 것인가?
갈매기들이 배회하는 태풍 속에서,
꿈의 배는 정녕 무엇을 향해 나아갈 것인가?

아니, 형제들이여, 아니 되오!
우린 그 열렬하며 고상한 마음으로부터
물려받은 유산을 꿋꿋이 지켜나가세!
우리가 이 우에아에 도움을 주고, 힘도 주고 믿음을 주세.
이 협회를 제대로 끈기있게, 흔들림 없이 지켜나가세.
이 세상을 지금 지배하는 잔혹한 강박관념을
우에아에선 떨쳐내세. 이 혼돈과 무질서한 세상에서 조화의 건드릴 수 없는 심볼이 되게 하세!

온 인간 사회의 상징이 되어,
인종, 종족, 종파로 나눠지는 걸 내버려 두지 말고
축복 속에 함께 살고, 평화 속에서,
도움 주며, 보호하며 봉사하도록 하세.
오, 이 평화의 망(網)은 찢지 마세,
이 망으로 우에아는 세계를 굳건히 엮으니
이 땅을 위협하는 대홍수 속에서도
우에아는 희망의 섬이 되자. (1933)

JUBILEA LETERO AL JULIO BAGHY

Kara Julio! – sciu, sendiskute
Mi skribas nun, amike kaj salute;
Mi skribas, ĉar mi devas nun babili
Pri vi kaj pri mi mem, kaj eĉ jubili
Okaze de la jubileo kuna.
Jubili – ĉu okazo oportuna?
Nu do, verdire, tia jubileo
Estas miksaĵo de jubil' kaj veo:
Jubilo, ke feliĉe ni postlasis
Dudek kvin jarojn; veo, ke ĝi pasis.
Sed mi ne filozofu plu. Prefere
Mi jam komencu skribi priafere.

*

Pri vi unue! Vin post via migra
Vojaĝo hejmen, vidas mi kun nigra
Vizaĝo kaj kun okulparo fulma

Ataki korojn per parolo ŝturma,

Kiam unue vi kun agopreto

Venis al la hungara societo.

Mi vidas vin en via rondo ERA,

Amik—gvidanton, «paĉjon», kun mistera

Potenco regi super koroj junaj

Vin adorantaj. Kaj en niaj kunaj

Laboroj mi vin vidas: kiam flustre

Kaj hurle kiel tigro de Sumatro

Vi penas gvidi kaj direkti ĝuste

La amatoran trupon de teatro,

En kiu ankaŭ mi mem havis rolon.

El via buŝ' mi aŭdas la parolon,

Kiam plezure, kaj ĝuante mem,

Rakontas vi pri la plej nova tem'

De versoj, de novelo, de romano.

Mi vidas nin sidadi en sunbano

De nefineblaj interparoladoj,

Pri la aktuala turno de la radoj

De l'mondo aŭ de l' «familia rondo».

Mi vidas, ĉe Literatura Mondo,

Ke ni klopodas kune en barakto
Pri la agrabla tasko de l' redakto
Kaj mankon de la abonantoj spitas.
Kaj vidas mi, ke ni kaprompe ŝvitas,
Kun la krajon' inter la fingroj spasmaj,
Super abon–alvokoj entuziasmaj,
Sed ne entuziasmigaj – laŭ la pruvo
De la rezulto. Ho, somera pluvo
De rememoroj! Kiom da kvereloj
Amikaj pri tre gravaj bagateloj!
Rankoroj! repaciĝoj! kunaj taskoj!
Kiom da planoj! kiom da fiaskoj!
Kaj, vi demandas, kiom da rezulto?
Nu, se paroli vere, ne tro–multo
Kompare tion, kion ni intencis;
Kaj tamen, se ni povus rekomenci,
Ni ja komencus, kie ni komencis,
Ĉu ne? Ni nin ne lasas kondolenci!
Nu, mi ja povus tiel plu daŭrigi,
Al rememoroj rememorojn ligi
Senfine! Krome, mi ja devus skribi

Pri via koro, pri l' animo flagra,

Konstante preta maljustaĵojn vipi,

Pri via sprito pipra kaj vinagra

Kaj tintilĉapa kaj ĉampane ŝaŭma,

Karese milda, kapriole baŭma,

Pri l' granda riĉ' de via fantazio

Kreanta, pri la apostolpasio

Gvidanta vin, – sed, ĉe la nargileo

De la dudek–kvin–jara jubileo,

Mi, pigra, nur babilis iom, klaĉe.

Kaj kial skribi ja kompetentaĉe

Pri tio? Ĉion ĉi, pli kompetente,

Ja viaj verkoj montras monumente!

*

Nun estus mia vico. Kion fari?

Ĉu zorge kaj pedante do prepari

Aŭtobiografion? Ĝena tasko:

Skribi sub pli malpli sincera masko

Pri l' tragedio aŭ pri l' komedio

De mia viv'! – Mi petas la publikon;
Ĝi serĉu en la Enciklopedio
Ĉiun eksteran daton kaj indikon.
Almeti ion estus malfacile:
Mi vivis al normala hom' simile.
Sed eble vi jam krias: «Al tagordo!
Necesas kordostreĉo kaj agordo,
Por fari nun konfesojn, tre lirikajn,
Allogajn, interesajn, romantikajn!»
Hm, hm, anstataŭ montri min aŭdace,
Mi emas kuntiriĝi erinace:
Mi jam tre frostus, se mi starus nuda
Antaŭ la mondo – jes, mi iĝis pruda;
Tial, por kovri nudon de liriko,
Mi vestis min per dika gramatiko,
Do lasu, en sekura pozicio,
Min kaŝi ie, sub prepozicio.
Mi estis laboristo de la lingvo,
Kalkulis versotaktojn per la fingro,
Balbutis sentojn proprajn, interpretis
La sentojn, kiujn iam elpoetis

Aliaj koroj, krome mi redaktis,

Korektis, ŝvitis; ofte mi baraktis

Pro nekompren'; kelkfoje min karesis

Rekon', kiun neniam mi forgesis.

Sed mi neniam volis esti bardo,

Kaj se en mia koro estis ardo,

Ĝi estis por la lingvo: mi ĝin volis

Prepari, perfektigi por genio

Post mi venonta, kies simfonio

La mondon ravos; kaj mi min konsolis

Ĉe la atakoj per la Alvenonto,

Kiu pravigos min. Jen estis ĉio!

Nun, antaŭ la malluma horizonto

De l' mond', mi scias, ŝajnas nur fikcio

Naiva la espero min gvidanta;

Jes, eble ĉio, ĉio estis vanta!

Poemojn kiu legas dum la brulo

De dom'? Neniu – eble frenezulo.

Sintakson kiu serĉas en stertoro?

Sed kiam nin la flamoj ĉirkaŭfermas,

Kaj savo plu ne estas, la fervoro

Freneza, tamen, kiun ne ekstermas
Eĉ la nepreco de la tuja morto,
Enhavas povon de konsola forto:
Labori por futuro, kiam mankas
Futuro; jen frenez' al kiu dankas
La renaskiĝon la futuro tamen!
La sola rim' je tio estas: amen!

1936

율리오 바기(Julio Baghy)와
우정의 25주년을 기념하는 편지

율리오 형(兄)! –
지금 내가 토론에 여지없이 이 글을
우정과 인사로서 쓰고 있음을 알아주오; 내가 형이나 또 나 스스로에 대해, 또 함께 맞이하는 25주년 기념을 환호로 말할 자격 있기에 이 글을
쓴다네. 환호하는 것이– 적당한 때냐고?
그럼, 솔직히 말해, 그런 기념의 해란 말 속에는
환호와 애석함이 섞여 있지요:
복되게 우리가 25년을 보내 왔다는 환호;
그렇게 지나간 시간에 대한 애석함.
하지만 난 더 이상 철학적 말은 삼갈 거요.
내가 사안에 따라 써 내려감이 더 맞을 거요.

*

형을 먼저! 형이 고향에 쓸쓸히 귀국한 뒤, 형이 먼저 활동할 준비 마치고 헝가리 사회로 돌아왔을 때, 난 까만 얼굴과 초롱초롱한 두 눈으로, 노도 같은 연설로 청중의 마음을 파고드는 형을 보았지요.

난 형을 형이 주도하는 모임인 ERA에서, 친구이자 지도자인, 'Paĉjo'로서의 형을, 형을 숭앙하는 젊은 마음들을 억누르는 신비한 권능을 가진 형을

보았지요.

또 나는 우리가 함께 노력해 온 업무 속에서도 형을 보았지요: 슈마트라 섬의 호랑이처럼 속삭이며 또 포효하듯이, 형이 극단의 아마추어 단체를 제대로 지도하고 감독하려고 애썼을 때, 그 극장에서 나 스스로 역할도 있었지요.

형의 입을 통해 나는 연설을 들었지요.

즐거이, 또 스스로 즐기면서 형이 시의 한 구절, 장편소설, 단편소설의 가장 참신한 주제에 대해 말하는 형의 연설을.

나는 세상의 수레바퀴들이나, <친밀한 모임>의 실제적 변화에 대한, 끝없는 대화의 햇살을 받으며 앉아 있는 우리를 보았지요.

난 '문학세계'에서 우리가 편집이라는 우호적 임무를 위해 함께 애써 왔음을 보았지요. 또 구독자가 적어 안달하던 때도 있었지요.

우리가 머리를 싸매고 땀 흘리며, 열정적으로 구독을 요청하는 호소문을 쓰면서 손가락 사이에 쥐가 날 정도로 연필을 오래 쥔 채 애를 써야 했지요. – 나중에 결론을 보고 생각해 보면 그렇게 애써도 될 일도 아니었다지.

오, 회상의 여름날의 비여! 아주 중요한 사소한 것들로 우호적 다툼은 얼마나 많았던가! 한탄! 다시 화해! 함께 하는 업무들! 얼마나 많은 계획! 얼마나 많은 실패!

그리고 형은 물었지요. –얼마나 많은 결과가 있었는가? 그래요, 실로 말해 보면, 우리가 의도한

바에 비해 그리 큰 수확은 아니었지만요; 그러나 우리가 다시 시작할 수 있다면, 우리는 정말 우리가 시작한 곳에서 다시 시작할 수 있다면, 그렇지 않은가요?

우리는 자신을 초라하게 여길 필요는 없지요!

이젠 내가 계속해 나갈 수 있겠지요?

회상들이 끝없이 서로 연결해 주는 회상을 향해!

그 밖에도, 나는 정말 형의 마음씨에 대해, 형의 활활 타오르는 영혼에 대해 써 놓아야만 하네.

언제나 부당한 일엔 채찍질 준비가 되어, 형의 후추 같고 식초 같은 재치에 대해, 종머리 모양의, 또 샴페인처럼 거품이 나고, 다정하게도 온화하고, 껑충거리듯이 뒷발로 선 채, 형의 창조적 환상의 위대한 풍부함에 대해, 형을 이끄는 사도와 같은 정열에 대해, ―하지만 25년 기념의 수연통(水煙筒) 곁에서 게으른 나는 조금 침 튀기며 말할 뿐이네요. 그리고 왜 그 점에 대해 완벽한 체하며 쓰는 가라고 묻는다면요?

이 모든 것을, 더 완벽하게 말하고 싶었지요.

형이 쓴 작품들은 기념비적 작품임을 보여 주려고요.

*

이젠 내 차례군. 어떡한담?

조심해 또 현학적으로 자서전을 준비한담? 번거로운 일이네요:

내 인생의 비극, 또는 희극에 대해
다소 성실의 가면을 쓴 글을 써야 하는 것은!
나는 독자들에게 부탁합니다:

그런 글은 『백과사전』[6]을 들추어 모든 외양적 날짜와 지표를 찾아보라고요; 뭔가를 덧붙인다는 게 어려워요: 나는 보통 사람처럼 살았어요.

그러나, 아마 형은 벌써 이렇게 외칠걸요:

"일상으로! 지금 아주 서정적으로, 유혹적으로, 흥미롭고 로맨틱한 고백을 하려면 현의 긴장과 조율이 필요하지!"

음, 음, 이 세상에 감히 나를 내보이는 것 대신에,

난 고슴도치처럼 움츠리고 싶어요:
내가 이 세상 앞에 벌거벗은 채로 서려 한다면,
나는 정말 떨렸어요-
그래, 난 얌전히 있었어요;

그러니, 서정성의 벌거벗음을 보이지 않으려고 나는 문법의 두꺼운 옷을 입었고, 그러니, 안전한 위치에 나는 어딘가, 전치사 뒤에 숨었어요. 나는 우리의 언어 노동자가 되어, 손가락으로 시(詩)의 박자들을 헤아렸고, 고유의 감정을 표현하느라 말을 더듬거렸고, 다른 사람들 마음이 한때 시인처럼 표현한 감정을 해석하려고 했어요. 그 밖에도

6) *역주: 세계에스페란토 운동사에 나오는 인물들을 열거한 인명사전

나는 편집도 하고 교정도 하고 땀도 흘렸어요. 자주 나는 이해가 되지 않아 싸워야 했지요: 때로는 내가 한 번도 잊혀지지 않은 인식(認識)에 스스로 위로했지요.

하지만 나는 한 번도 음유시인이 되고자 하지 않았고, 또 만약 내 마음속에 뜨거움이 있다면, 그것은 우리 언어를 위한 것이었어요. 나는 그 뜨거움을 내 뒤에 올 천재를 위해 준비하고, 완벽하게 해놓으려 했어요, 그 천재성을 가진 교향악이 이 세상을 구할 그이를 위해서; 내가 공격받을 때, 나를 증거로 삼을 분이 오리라고 스스로 위로했어요. 그게 전부이네요!

이제, 세상의 어두운 지평선 앞에서 나는 알았네요. 나를 지도해 오는 그 희망이 순진한 허구일 뿐이구나; 그래, 필시 모든 것은 헛되도다!

집이 불타고 있는데 시를 읽고 있는 이가 있을까요?

아무도 없을 거요– 아마 미친 사람이나.

숨넘어가는 순간에 구문론을 연구하고 있을 사람은 누가 있겠어요?

하지만 화염이 우리를 에워싸는 순간에도, 또 구원이란 더 이상 없는 순간에도, 곧 닥칠 필수적 죽음 앞에서조차도 버리지 못하는 미친 열정은 위로의 힘을 안고 있지요:

미래가 부족할 때, 미래를 위해 일하는 것;

미래가 나중에 부활을 고마워할 그 미친 열정!

그것에 유일무이한 운(韻)이란: 아멘!(1936)

RIMPORTRETO

Leo Belmont – liuto sprita,
Vibranta per «Ritmoj kaj Rimoj»,
Sonanta el la malproksimoj
De temp' heroa, preskaŭ mita,

Sur kordo brile agordita
Por ŝercaj basoj, perlaj primoj;
Leo Belmont – liuto sprita,
Vibranta per «Ritmoj kaj Rimoj».

Ne veterano emerita,
Kun cerbo, kiun kovras ŝimoj:
Fandigas en li la aĝ–limoj:
Maljun' spertriĉa, juno spita!

Leo Belmont – liuto sprita...

1937

운(韻)초상화

레오 벨몽(Leo Belmont)[7]-
그대는 리듬과 운(韻)으로 진동하는 재담가인 루트[8]일세.
영웅의, 거의 신화의
시대인 저 먼 곳에서부터 소리나네.

익살부리는 저음, 진주 같은 소수(素數)를 위해
휘황찬란하게 조율된 현 위에선.
레오 벨몽-
그대는 리듬과 운으로 진동하는 재담가인 루트일세.

곰팡이들이 덮고 있는 두뇌를 가진
은퇴한 베테랑이 아니외다:
그대에겐 나이의 한계들이 함께 있었다네:
나이 들어 경험이 풍부하지만, 청년처럼 도전적인
레오 벨몽 - 그대는 재담가인 루트일세....
(1937)

---

7) *역주:1865-1941. 바르샤바 출신의 폴란드 언론인, 작가. 1887년부터 자멘호프와 교류

8) *역주: 오늘날의 만돌린과 비슷한 현악기의 일종

ESPERANTO
1938

Kiam vi marŝis per sepmejlaj botoj
Tra l' mondo, kaj vin ĉiam novaj rotoj
Sekvis en gaja rondo,
Kiam, post venko de l' interna krizo,
Vi triumffesti iris al Parizo,
– Ekbrulis tuta mondo...

Kiam vi poste el la morto ŝajna
Revivis, kaj per pli–ol–iam–ajna
Potenco ekprogresis,
Elasta, ŝvela, riĉa de kulturo,
Portadis viajn fruktojn de maturo,
– La Homo ekfrenezis...

Ho vere, sur vi pezas prema Fato:
Floradon novan sekvas nova bato
Kaj krizoj mortminacaj:
Kiam la gentoj luktas kiel lupoj,
Dividas sin je malamikaj grupoj

Eĉ «batalantoj pacaj».

Por Dio scias kia cel' sencela,
Kun plena pov', persisto senŝancela
Tempestas la disputo
Sensenca, senelira kaj senŝanca:
Jen estas nia mondo disonanca
En eta akvoguto.

Anstataŭ frata helpo reciproka,
Kiel en brula domo spirsufoka,
Batalo ĝis la morto:
En tia stato la homaro stumblas,
Kaj, Esperanto, ankaŭ sur vi plumbas
La sama damna sorto!

Dum mondmalsano vi malsanas febre!
Vin savos nur, se resaniĝos eble
La mondgeneracio:
Ne povas vi prosperi dum tempestas
Mondbrulo, Homfrenezo, ĉar vi estas
Hompaco, Mondracio!

에스페란토
1938

그대가 7마일짜리 긴 장화를 신고 세상으로
나아갔을 때, 또 그대를 뒤이어
유쾌한 모임에서 새로운 무리들이 뒤따라갔을
때,
또, 내부 위기를 극복한 뒤, 그대가 승리를 자축
하며 파리로 향했을 때,
—세상이 불붙기 시작했네....

그러고서 나중에 그대가 거의 사멸의 단계에서
되살아 나,
또, 이전의 어느 때보다도 더 큰 힘으로 발전하
기
시작했을 때, 문화의 유연하고, 부풀고, 풍부함
으로,
완숙의 성과들을 만들어 냈을 때,
—온 인류가 또 미치기 시작했네.....

오, 정말, 그대 위로 억누르는 비운이 짓누르고
있다네: 새로운 때림은 새로운 번영을 뒤따랐고,
파멸의 위협 같은 위기들이 뒤따랐네: 각자의
인종으로 나뉘어 늑대처럼 다툴 때, <평화의 싸움
꾼들>조차도

악의적인 그룹으로 갈라졌네.

하나님은 목적 중에 어느 것이 무의미한지 알지만,
충분히 가능하게도, 흔들리지 않는 의지로
무의미하고, 막다르고, 승산 없는
분쟁이 폭풍처럼 닥쳐오네.

이게 작은 물방울 속에서
우리의 조화롭지 못한 세계라네.

서로 형제로 돕는 것 대신에
집이 불타는 숨 막힘처럼,
죽을 때까지의 싸움:
그런 상황에서도 인류는 비틀거리네,
또, 그대, 에스페란토도
똑같은 빌어먹을 운명이 봉인되는구나!

세계가 아프면, 그대는 고열로 더 아프구나!
만약 온 세상 세대가 다시 건강해지면
바로 그때야 세상이 그대를 구할지니:
세상 화마와 인류의 미쳐버림이
태풍으로 닥칠 땐 번영을 누릴 수 없으리.
그대가 바로 인류 평화요, 세계 이성(理性)이기에.

KONFUZA BALADO

pri neologismoj kaj mondpereo

Mi kredas je la Nova Sento,
Mi kredas je la Forta Voko,
Kvankam nun gento kontraŭ gento
Armadas sin en ĉiu loko.
Mi kredas, ke post ĉi epoko
Kunfrate povos ni feliĉi.

Mi kredas firme kiel bloko,
Ke nia lingvo rajtas riĉi.
Mi kredas je la argumento
De l' Temp': forflugos, kiel floko
En la potenca blov' de vento,
Kio ĝin spitas kun provoko.
Kaj tial kun fier' de koko
Mi streĉas mian gorĝon kriĉi,
Kriante antaŭ la Sufoko,
Ke nia lingvo rajtas riĉi.

«Ne helpas fluo de torento,
Se jam fritita la ezoko!»
Jes ja, ni vivas en turmento,
Kaj kiel fiŝo sur la hoko,
Aŭ trupo sub lavanga roko,
Al mort' ni devas nin dediĉi,
Sed kredas mi, por spit' aŭ moko,
Ke nia lingvo rajtas riĉi.

Princ' Mondo! Pretas murda stoko!
Bonvolu per ĝi plezuriĝi!
Sed kredis mi, jam sub la Soko,
Ke nia lingvo rajtas riĉi.

1936

혼돈의 발라드
신어(新語)와 세계멸망에 대하여

나는 새로운 느낌을 믿고,
나는 강력한 호소도 믿네.
지금 인종은 서로 적대시하여
방방곡곡에서 무장하고 있다 하여도.
나는 이 시대 뒤에는 우리가 형제애로
다시 복되리라는 것을 믿네.
나는 쇳덩이처럼 단단히 우리 언어가 풍부해질
권리 있음을 믿네.

나는 시대의 논쟁도 믿고 있다네:
자극적으로 이에 도전하는 강력한 바람 속의
깃털 한 조각처럼 날아가 버릴 것이다.
그리고 그 때문에, 수탉의 자신감으로서
나는 내 목소리를 가다듬어 울부짖노라.
이 질식 앞에서 외치노니,
우리 언어는 풍부해질 권리가 있음을.

“만약 민물고기가 벌써 튀겨졌다면
격류의 흐름은 도움이 되지 않는다.”
그래 정말, 우리는 고통 속에 살아,
마치 낚시바늘에 잡힌 물고기나
눈사태 난 바위 아래의 무리처럼

죽음을 향해 우리가 준비해야만 한다네,
하지만 난 믿네, 그런 도전이나 비웃음에도
우리 언어는 풍부해질 권리가 있음을.

왕자의 세계여! 살인에 쓰일 저장품이 있네!
그 저장품으로 즐기세요!
하지만, 난 믿어요, 쟁기의 보습 아래서도 이미
우리 언어는 풍부해질 권리가 있음을.

(1936)

DEBATO

Forpasis jam la freŝaj majoj,
Porpasis la julioj ardaj,
Dronas en nubo de malgajoj
L' okuloj triste rerigardaj.

Ĉesis frenezo kaj sovaĝo
Kaj ĉevalidaj pied–svingoj...
Ĉu restis nur amara saĝo
Kaj senrevigaj cel–atingoj?

Ĉu pri kaduko dokumentas,
Ke mokon kaj longbarban grumblon
Kaj nekomprenon mi jam sentas
Sur la piedoj kiel plumbon?

Ke ofte malagrabla voĉo
Admonas min por vivkalkulo,
Kaj tiam aĉa memriproĉo

Min pikas ĝene kiel kulo?

«Idioto, oni vin en kaĝon
Devus enfermi, sub hont—marko,
Ĉar kapti volis vi miraĝon
Kaj kuris vi post ĉielarko.

Jen estas do la trista horo,
Kiam vi morne ekrezonas:
Kion vi faris kun fervoro,
Ĉu tion iu do bezonas?

Forpasis viaj freŝaj majoj,
Forpasis la julioj ardaj,
Ekgrimpis vi al Himalajoj,
Kaj venis al bedaŭroj tardaj.

Jen, kion songplenum' vi kredis,
Vi vidas, estis nur deliro!
Kia frenezo vin obsedis
Treti en rondo sen eliro?

Akceptu, kara, la averton
De l' saĝo kun humila danko!
Kaj ŝutu cindron sur la verton,
Kaj frapu ĉion al la planko!»

«Malica voĉ', la revizion
Tre trafe faris vi, tre tranĉe.
Vi rabas mian iluzion.
Kion vi donas interŝanĝe?

Volonte, vi min vidus ŝimi
Sen rev' en monotona grizo...
Ne! Mi preferas min animi
Eĉ per mensoga paradizo!

Ne! La matur—gravedan aĝon
Mi ne pasigos per lamentoj!
Mi volas forton kaj kuraĝon
De l' aŭtun—ekvinoksaj ventoj!

Forpasis jam la freŝaj majoj,

Forpasis la julioj ardaj,

Tamen al malproksimaj kajoj

Brilas l' okuloj fiksrigardaj,

Kaj se min logas en etero

Astro−muzik' de ĉiel−harpoj,

Mi ride lasos sur la tero

La grumblon de la longaj barboj!

Konservu por vi vian saĝon,

Mi pelos mian aerbarkon,

Kaj mi atingos la miraĝon,

Tenos en la man' la ĉielarkon!»

1934

논쟁

이미 시원한 5월이 여러 번 지나고,
뜨거운 7월도 지나고,
슬픔의 구름 속에 슬프게 돌아보는
눈들은 죽어가네.

광적인 것도 야만인 것도 멈추었고,
망아지가 발을 흔드는 것도 멈추었네...
이젠 씁쓸한 현명과 환상에서
깨어난 목표에 도달하는 것만 남았는가?

내가 발등의 납덩이처럼
비웃음과 긴 수염의 불평과 몰이해를
느끼는 노쇠함에 대해 자료가 남았는가?

또 자주 반갑지 않은 목소리가
나를 생활 계산으로 조언하고,
그때 빌어먹을 자책으로
마치 모기처럼 나를 괴롭히며 찌르는가?

"바보야, 사람들이 저 새장으로 가두리라,
부끄러움의 징표 아래서.
너는 신기루 잡으려고
무지개 뒤로 달려갔기에.

그래, 슬픈 시각이야.
너는 우울하게 결론을 내려 보면;
너는 열렬히 무엇을 했는가,
누가 그것을 필요로 하는가?
이미 시원한 5월이 여러 번 지나고,
뜨거운 7월도 지나고,
너는 히말리야를 오르기 시작했고,
네겐 때늦은 애석함이 찾아 드네.

이제 네가 꿈을 꾸어 실현하려고 믿었던 것을,
네가 보니, 본 것은 다만 잠꼬대였네!
너를 어떤 미친 것이 출구 없는 원 안에서
짓밟아 놓아주지 않는가?

너는 겸손하게 고마워하며
현명함의 경고를 받아들이네.
그리고, 정수리 위로 재를 뿌려,
모든 것을 바닥에 두들겨요!"

"악의에 찬 목소리여, 너는 고치기도 잘 하네,
아주 잘 자른 듯이,
나의 환상을 빼앗은 대가로.
그럼 너는 뭘 주는가?

기꺼이 너는 나에게 단조로운 회색 속에서
꿈도 없이 있는 곰팡내 나는 나를 보려는군...
안 돼! 난 나를 거짓말의 천국으로
영혼을 불러 놓고 싶네!

안 돼! 나는 성숙을 잉태하는
나이를 눈물로 보내지 않았어!
난 추분 날의 바람이 가져다주는
힘과 용기를 원한다네!

이미 시원한 5월이 여러 번 지나고,
뜨거운 7월도 지나고,
뚫어지게 쳐다보고 있는 눈은
저 먼 부두를 향해 반짝이네.
그리고 만약 하늘-하프 악기의
천문 음악이 창공에서 나를 유혹한다면
나는 땅 위에서 웃으며,
긴 수염의 불평을 허락하리라!

너를 위해 네 나이를 보존하라,
난 나의 공기 범선을 재촉해,
신기루에 다다르리라,
나는 손엔 하늘 무지개를 쥘 터이니!”

(1934)

Malnovaj madrigaloj

Kelkaj malnovaj madrigaloj
Postrestis sur paperoj flavaj:
Pri sonĝe sorĉaj kisregaloj
Kelkaj malnovaj madrigaloj.
En mia aĝ' de folifaloj,
Jen, arde de printempoj ravaj,
Kelkaj malnovaj madrigaloj
Revivas sur paperoj flavaj...

옛 연가

옛 연가 몇 편이
누런 종이에 남아 있다오:
꿈처럼 신들린 키스 보답들에 대한
옛 연가 몇 편이.
잎이 떨어지는 내 나이에,
여기에, 꿈꾸었던 봄날에 대한 열정으로,
옛 연가가 몇 편이
누런 종이에서 되살아나오.

I.

Mi amas vin – eksmoda diro!
Mi preskaŭ hontas pro l' senfort'.
Konfesi al vi pri l' sopiro
Necesus nova, freŝa vort',
Kaj mola, kiel kis' patrina,
Kun ĝojolarmo de l' dorlot'
Kaj sankta, kun valid' senfina,
Kiel ŝtalfirma jura vot',
Balbuta de volupto svena,
Kaj blanka kiel blanka ard',
Jubila, flagra kaj solena,
Kiel en vento la standard'!

Mi amas vin – parolo griza,
Kaj fuĝa kiel vento–zum':
Dirita, ĝi forflugas disa,
Kiel la cigareda fum'.
Mi tamen diras ĝin ripete,
Kiel se adoleska bub'

Plezuras en kaŝej' sekrete

Per flugigata fumo—nub':

Li ĝin enspiras kaj elspiras,

Ĝis en malleva—leva tren',

Lin en kapturnon dolĉan tiras

Facilbalanca varma sven'.

Mi amas vin — ho tamen kara

Parol'! Ĝi diras min al vi!

Ĝi estas la spegulo klara

De la eterna nostalgi',

Per kiu mia kor' sopiras

En via brust' je bona hejm',

Per kiu mia sang' sopiras

Flui en via varma vejn',

Per kiu mia karno—osto

Sopiras, ke ĝi en absorb'

Fandiĝu el soleca frosto

En la printemp' de via korp'!

1.

내 그대를 사랑해— 시대를 지난 말이라오.
난 어쩔 줄 몰라 부끄러워요.
당신에게 그립다고 고백하려면
난 새롭고 신선한 말이 필요하오.
너무 사랑스러워 기쁜 눈물 흘리는
어머니 입맞춤같이 달콤하고,
또 무쇠의 단단한 법률의 맹세처럼,
기한 없는 유효함으로 신성하고,
혼절할 것 같은 쾌락으로 인해 더듬고,
그리고 백열의 열정처럼 새하얗고,
바람 속에 펄럭이는 깃발처럼
환호하고 너울대고 장엄한 말이!

당신을 사랑해— 회색빛의
포효하는 바람 소리처럼 달아나는 말소리라오.
한번 말해 버리면,
마치 담배 연기처럼 흩어져 날아 가버린다오.
난 그래도 그 말 되풀이하오.
마치 다 큰 불량소년이 몰래 숨어
연기구름을 만들며 즐기는 담배 맛처럼:
소년이 담배 한 모금 빨아선 뱉고
또 낮게 높게 오르내리면서도
소년의 달콤한 머리가 빙— 돌며
쉽사리 흔들려 뜨겁게 혼절할 때까지.

당신을 사랑해— 오호, 그래도 이 말은
귀한 말이라오! 당신에게 나를 전하는 말이라오!
이 말은 영원한 향수를 불러오는
맑은 거울이라오.
그 거울로 내 마음은
좋은 가정 같은 당신 가슴을 그리워하고,
그 거울로 나의 피는
당신의 따뜻한 정맥 속에 흐름을 그리워하고,
그 거울로 내 육신이
고독한 떨림에서 벗어나,
당신 몸의 봄에 취해
하나 되기를 그리워하오.

II.

Mil mil virinoj estis... Kie ili?
Jam dronis tute, tute!
Jen nur vin solan mi jam vidas brili,
Vin solan, absolute!

Virinaj buŝoj kun la gust' matura
Do sekvinber—aromo,
Virginaj buŝoj kun acerbo pura
De cidonia pomo:

Jen ĉiujn gustojn, ĉiujn buŝojn multajn
Entenas viaj lipoj!
De ĉie pelas al vi distumultajn
Dezirojn kaŝaj vipoj,

Kaj kiel sovaĝbestoj, kiujn bridas
Magia dresistino,
Jen ili, katenitaj, milde sidas
Ĉe via dolĉa sino.

2.

수많은 여인이 있었다네......그네들은 어디에?
전부, 전부 잠수해 버렸다네!
나 이젠 당신 혼자 유일하게 빛나고 있음을 본다네.
당신만, 정말이라오!

말린 포도향 같은
성숙한 맛을 내는 여인들의 입,
마르멜로 나무의 사과 같은
순한 신맛을 내는 여인들의 입:
모든 맛을, 온갖 수많은 입을 담은 당신의 입술!
모든 곳에서 당신을 향해
고통스레 다가서는 욕망들을
숨은 채찍들은 몰아가네.

또 요술의 여성 조련사가
키우는 들짐승들처럼,
그 속에 그 짐승들이 갇혀 있어도,
다소곳이 당신의 달콤한 품속이라 앉아 있네.

III.

Viajn okulojn en okuloj
Kaj kisojn en surlipaj bruloj
Mi portas kun mi ĉie.
Memor' de via korpo–varmo
Obsedas min kaj ĝis eklarmo
Min tuŝas emocie.

Kaj antaŭ la okul' fidela
Ĉiu virinvizaĝo bela
Kovriĝas per nebuloj,
Kaj el post la nebulvualoj
Alridas min la stelkristaloj
De viaj du okuloj.

Kaj tiel ĉiu bel' kaj mildo
Fariĝas por mi via bildo
Per ŝanĝo alkemia,
Kaj nur pli forte al vi ligas,
Kaj nur pli arde dezirigas
Vin, ho Ebrio mia!

3.

당신의 두 눈을 눈에,
내 바싹 탄 입술의 키스를
나는 가는 곳 어디에나 가져가오.
당신 몸의 따뜻함의 기억은
나를 얽어매고, 눈물로
나를 감동으로 적셔 준다오.

그리고 믿음의 눈길 앞에선
모든 아름다운 여인들 얼굴은
안개로 덮이고,
그 안개 베일 뒤에서부터
나를 향한 그대 두 눈은
별-수정이 되어 웃고 있다오.

그리고
그렇게 모든 아름다움과 온화함은
화학적 변화로서
나를 위한 당신의 그림이 되고,
또 당신을 향해 더 강하게 연결되고,
또 더 열렬한 원함이란
오, 취하게 하는 당신뿐이라오!

IV.

Sopiro, paŝu piedpinte,
Vin tenu en trankvil'
Sovaĝe nun ne bruu tinte
Per kiso–sonoril'.

En ĉambron ombran glitu pie,
Silente, sen agit'
Ja mia kara kuŝas tie
Malsane en la lit'.

Kun vangoj brulaj febroflame,
En lace velka poz'
Ŝi kuŝas, saĝu do, sed tamen
Sen trista serioz'!

Nun estu dolĉa mild', karesa,
Silkmane mola am',
Brakuma vigla zorg' senĉesa,
Konsolo kaj balzam'.

Nu, tio estas, bub' senbrida,

Ja ne laŭ via gust',

Ne timu tamen, estu fida!

Atendu en la brust'!

Ne longe daŭros tiu plago,

Defalos via ĉen',

Kaj ŝi en sankta sava tago

Leviĝos de l' kusen',

Refloros, kiel rozburĝono

En la printempa sun':

Mi tiam diros: Hej, fripono,

Nu do, frenezu nun!

4.

그리움은 발끝으로 걸어,
당신을 평안 속에 있게 하여도,
거칠게도 지금은
키스-종(鐘)으로 딸랑거리며 소리 내지 않겠어요.

어둡게 드리워진 방으로 경건하게,
조용히 자극하지 않고, 미끄러지듯 들어가 보니,
아, 내 사랑은 그곳, 침대에 아파 누워있네.

열로 타오른 양 볼엔 황색 염이 돋고,
피곤에 지쳐 시든 모습으로
내 사랑은 누워있네. 자, 정신을 차려 보자,
그래도 슬프게도 진지함마저 없구나!
지금은 달콤한 온화함이 다정하면서도,
비단결 같은 포근한 사랑이 되자.
껴안아 활달한 관심은 쉼 없이,
위로와 진정제이네!

오, 그것은, 고삐 없는 말괄량이.
당신 취향에 따라서가 아니어도
걱정하지 말고, 믿어 보오!
가슴 속에서 기다리게 하오!

저 재앙은 오래 가지 않을 것이요,
당신 사슬은 떨어질 것이고,
그리고, 내 사랑은 신성한 구원의 날에
그 병석에서 일어나리.

저 봄날의 태양 속
장미 꽃봉오리처럼 다시 피어날 것이요,
나는 그때 말하리:
헤이, 악한아
자, 이젠 미쳐도 좋아!

V.

Kiel en griz' de tagoj jaraj
Venas agrablaj ŝanĝoj:
Ruĝaj literoj kalendaraj
De l' festoj kaj dimanĉoj,

Tiel, dum monotone pasas
Horoj en taga drivo,
Ravon de ŝanĝ' al ni donacas
Malŝpare nia vivo,

Ĉar, kara, se vi min brakumas,
Jen dronas zorgoj teraj,
En nia griza tago lumas
Minutoj ruĝliteraj!

5.

일 년 중 흐린 날이 있듯이
유쾌한 변화가 찾아 왔다오:
달력에 표시된 붉은 나날은
축제와 일요일.

저렇게 단조롭게
표류하는 하루의 시간이 다 지나고
우리의 삶은
아낌없이
우리에겐 변화의 꿈을 선사하네.

왜냐하면, 자기야, 만약 자기가 나를 안으면
이 땅의 근심 걱정 사라지고,
우리의 회색 날들엔
붉은 글자로 된
시간의 분-초들이 빛나거든요.

VI.

Se vi koleras,
Mi ĝin toleras,
Revante pri l' feliĉo
De l' repaciĝo.

Sur dolĉa pluŝo
De l' paŭta buŝo
Mi serĉas, por surprizo,
Lokon de kiso.

Nervoza svingo
De l' brak' en ringo
Fermiĝos por haveno
De ĉirkaŭpreno.

La akvo varma
De l'guto larma
Per gusto min regalos:
La lipojn salos.

Ĉar ja, sen dubo,
Post ŝtorm' kaj nubo
Plu velos nia barko
Sub ĉielarko

De via rido,
Kiu, por gvido,
Albrilos tra l' nebuloj
De la okuloj.

Kaj kiu pravas?
Ĉu tio gravas?
La am' – jen sur la tero
La sola vero!

6.

그대가 화낸다면,
다시 화평해질 날의
행복을 꿈꾸며
나는 이를 참지요.

뾰로통한 입의
달콤한 우단 위에서
나는 깜짝 놀라게 하려고,
키스할 곳을 찾는다오.

반지를 낀 팔이
신경 쓰이듯 흔들림은
포옹의 항구를
위해 닫을 것이네.

눈물방울의
따뜻한 물은
나를 맛으로 대접해주네:
입술은 짜네.

그것은, 당연히,
폭풍과 구름 뒤엔 우리 보금자리는
무지개 아래서
여전히 돛을 달게 될 것이기에.

당신 웃음에는
두눈의 안개를 통과해서
길을 안내해 주려고
빛나네.
그리고 누구 말이 맞는가?
그게 중요해?
우리 사랑은 – 이제 이 당위성에서
하나뿐인 진실이라오!

VII.

Subita frosto venis,

Kaj ĉiuj floroj svenis.

Ekstera frost', interna frosto,

Ho malproksima Pentekosto:

Sur kalva branĉo muta birdo tremas,

La sibla vento moke rekviemas.

Frostinte falis beroj

Helverdaj de l' esperoj.

Ekstera frost', interna frosto,

Neniam estos Pentekosto!

Jen, ĉie de la velk' la flava stigmo,

Ho ve, nenio restis krom rezigno!

Kaj tamen, mia kara,

Vi, mia Lamo klara,

Glacian nordon de la ventoj

Spitu la sud' de niaj sentoj:

Ni fuĝu de ĉi frosta panoramo

Sub la sirokon dolĉan de la amo!

7.

갑자기 추위가 찾아와
모든 꽃이 기절하네.
바깥 추위, 안의 추위.
오, 저 먼 곳의 오순절:
벌거벗은 나무 위엔 말없이 새 한 마리 떨고 있고,
휘–익–하는 바람은 비웃듯 진혼곡을 연주하네.

희망의 연초록
열매들이 추워 떨어지네.
바깥 추위, 안의 추위.
이젠 오순절은 영원히 오지 않네!
이젠 저 노란 암술머리가 곳곳에 시든 채 있고,
오호통재라, 양보를 제외하곤 아무것도 남아 있지 않네.

그런데도, 내 사랑아,
당신은 내 분명한 빛이여,
우리 감정의 남쪽은 저 바람의 우아한 북쪽을 무시하자:
우린 이 추위의 파노라마에서 벗어나,
저 사랑의 달콤한 동남풍 안으로 피난해 봐요!

VIII.

Sur freŝa, rosa, florodora,
Aster—stelita, birdsonora,
Sunluma montdeklivo
Mi volus ludi gajan gamon
De viv': ebrion, songon, amon,
Kun vi, mia Soifo.

Sur virga tero, kie trudo
De turpo kaj malpur' kaj krudo
Neniam nin retrovus,
Kiel per leontoda lano
Spirblove ludas la infano,
La zorgojn ni disblovus.

Ve, fore tiu kamp' serena
De sorĉa songvolupt' edena,
Trankvila amo—kulto,
Ni staras kune sendefende,
Kiel sub hajlo, triste, plende,
En aĉa vivtumulto.

Serpento de malico rampas,
Kaj dornoj de malhelpo stampas
Per vundoj nian bruston,
Kaptilajn fosojn ni trakrucas,
Nin kalumnia kot' alŝprucas,
Ni vidas nur maljuston.

Ho venu! Inter la serpentoj,
Kavoj kaj dornoj kaj sarmentoj
Ni paŝas plu, ni paŝas:
La manojn helpe ni kunplektas,
La koroj lumas kaj direktas,
Nin hajlo vane draŝas,

Malico, stulto, embaraso,
Jes ja, eĉ plena mondfrakaso
Direkton jam ne ŝanĝos,
Nenio niajn paŝojn baras,
Kaj se kaĉmonto kontraŭstaras,
Ni, kara, ĝin tramanĝos!

Ŝiriĝas la nebulvualo

Kaj apertiĝas Edenvalo

Sunluma, freŝa, flata,

Eterne ludos gajan gamon

De viv': ebrion, sonĝon, amon,

Mi kun vi, ho Amata:

Ĉar, se mi voje vin brakumas,

Jam tiu valo al ni lumas,

Jes, tiu kaj la samo:

Ĉar por perfekta dolorĉeso

Estas du fontoj de forgeso,

La Morto kaj la Amo!

8.

신선하고, 이슬 같고, 꽃내음 나고,
과꽃처럼 별 모양으로, 새 지저귀는 소리 같고,
햇빛의 산비탈에서
나는 내 삶의 흥겨운 음계를 연주하고 싶어요:
내 그리움인 당신과 함께
심취하며, 꿈을 꾸며, 사랑하며.

악과 더러움과 거친 것의 강요가
한 번도 우리를 다시 발견하지 못할 곳인
처녀의 땅에서, 민들레 같은 양털로
숨을 내쉬며 뛰노는 저 어린아이처럼,
우리는 근심을 날려 보내 버렸으면.

애석하게도, 요술에 걸린 에덴의
꿈같은 욕정의, 평화로운 사랑–경배라는
평화로운 들판 저 멀리,
우리는 더러운 삶의 소란 속에서
슬프게, 불평하며, 우박 맞는 것처럼
함께 독립한 채 서 있다네.

악의의 뱀이 기어오고,
방해의 가시들이 우리 가슴에 상처를 내며
각인하고 있고,
우리는 덫이 놓인 구멍들을 교차로 지나가고,
비방하는 진흙탕이 우리를 향해 분수처럼 치솟고,
우리는 불공평함만 보고 있다네.

오, 와요! 저 뱀들이.
구덩이, 가시들과 덩굴들 사이에서
우리는 더 걸어가네, 우리는 걷고 있네:
우리는 두 손을 잡고서, 꽉 쥐고는,
우리 마음 빛나고, 가는 방향은 아니,
우박 따윈 아무리 쏟아져도 우릴 못 맞히네.

악의, 멍청, 당황,
그래 정말, 세상이 완전히 없어져도
우리는 방향을 바꾸지 않으리,
아무것도 우리 발걸음 막지 못하고,
또 우리 앞에 죽이 산처럼 쌓여 우리를 막아도
우리는, 여보, 이를 다 먹어치우리라!

이젠 안개 베일은 찢겨 나가고,
햇빛이 나고, 신선하고, 의기양양한 에덴 계곡
이
틈을 보이니, 삶의 흥겨운 음계를
영원히 연주하리:
내 사랑, 당신과 함께
취하며, 꿈꾸며, 사랑하며.

왜냐하면, 만약 내가 당신을 길에서 안는다면,
계곡은 이미 우리를 향해 빛을 비추고,
그래, 그것과 똑같음:
왜냐하면, 완벽히 아픔은 끝나고
망각의 샘 둘만 남는다:
죽음과 사랑!

IX.

Kiel la peza gut' miela
De sur kalika rando,
Al vi el mia koro ŝvela
Verŝiĝu nun ĉi kanto!

Ho konulin' de l'grizaj tagoj
Kaj de la noktoj dolĉaj,
Brilanta al mi dum la plagoj
Per la okuloj torĉaj,

En ruĝa ard' min al vi ligis
Volupto ĝis kunfando,
Komune min kaj vin plenigis
Turmento ĝis trans rando:

Sovaĝaj fratoj, kiujn fruntas
La homo dum vivlukto:
Volupto pli ol viv' profundas,
Turment' pli ol volupto!

Volupto kaj turment' nin faras

Eterna amalgamo,

Kaj tio – sankte mi deklaras –

Jam estas pli ol amo!

9.

성배(聖杯) 가장자리 위의
꿀 같은 무거운 방울처럼,
당신을 향한 내 부푼 마음에서는
이젠 이 노래가 쏟아져 나오네!
오, 회색의 나날과, 달콤한 밤의 연인이여,
횃불 같은 두 눈으로
재앙 속에서도 나를 향해 빛나네.

당신을 향해 붉은 열정으로
하나 됨의 쾌락이 연결되고,
나는 당신과 함께라면 고통도 함께
저 경계를 넘어서까지 하나 되네.

인간 삶의 투쟁 속에 만나는 난폭한 형제여:
삶보다는 쾌락이 더 깊고,
쾌락보단 고통이 더 깊네.

쾌락과 고통은 우리를
영원한 아말감이 되게 하고,
그리고 그것은 – 신성하게도 내게 선언하노라
사랑보다 더한 것임을!

SUR LA MONTO NEBO

La celoj ĉie dronis. Jam emerĝas
Ĥimeroj por apokalipsa rajdo.
La time trema koro vane serĉas
Eskapon de l' minaca sanga tajdo.

Mi vidas jam ĉen–rompi ĉie dise
La mondo–skuan Stulton ĉiopovan,
Kaj dume, delikate, zorge ĉize
Fabrikas tiun ĉi soneton novan.

– Kiam anoncis ploro kaj vekrio
Kaj en la noktoj horizonta ruĝo:
«La gotaj hordoj en la Imperio!»

En Romo iu staris, sen rifuĝo,
Pensante reve pri l' Aŭgusta paco,
Kaj flustris kelkajn versojn el Horaco.

느보 산[9] 위에서

모든 목표가 수포가 되었네.
계시적인 탈 것을 위한 키메라들이 벌써 나타났네.
두려워 떠는 마음은 헛되이도
위험천만한 피의 물결에서의 탈출을 시도하네.

나는 세상을 뒤흔드는 전능한 멍청함이
이미 어디에나 사슬 끊는 것을 보네.
한편, 살금살금, 조심조심
이 소야곡을 공장에서 새로 만들려 하네.

—울음과 절규가 알려지고,
밤마다 지평선엔 피바다가 알려질 때:
"제왕의 무법적인 유목민들이야!"

로마에선 누군가 피난 가지 않고 서서,
8월의 평화를 꿈꾸며,
호라티우스[10]의 시 구절을 속삭이네.

---

9)*역주: 요르단 왕국 마다바움에서 북서쪽으로 약 10km 지점에 있는 산: 835m

10)*역주: 로마의 서정시인

NARKOTOMANIO

Volante, ke la homo ion amu,
Ke l' amo havu forton, fajron, daŭron,
Kaj ke li vin obeu kaj aklamu,
Ekscitu lin malami la kontraŭon.

Malamon diktis al li dum jarmiloj
La vivbatalo en la malsufiĉo;
Ĉi prakutim' lin pelas al armiloj
Eĉ nun, anstataŭ frati en la riĉo.

Kaj tial regas Venĝo, regas Timo,
Kvankam por amo jam la mond' maturas:
La hom', ĉi povra besto de l' Kutimo,

En murdon kaj pereon blinde kuras.
– La Tempo sur la proskripciajn listojn
Jam metis nin, la malam–morfinistojn.

마취 매니아

사람은 뭔가 사랑하기를,
사랑은 힘과 불, 또 지속을 갖기를,
사람이 그대 말에 복종하고, 환호하기를
사람으로 하여금 반대자를 증오하기를 자극하기를 바라네.

부족함 속의 생존 싸움은
사람에게 수천 년의 증오를 가르쳐 왔고,
이 원초적 습관은 사람에게 지금도 풍요 속에서 형제로 살기보단
무기를 향해 돌진하게 해놓았네.

그러하니, 지배하는 것은 복수요, 지배하는 것은
두려움이네. 벌써 이 세상이 사랑하기엔
성숙한 상태라 하더라도
습관의 불쌍한 짐승인 사람은

살인, 파멸을 향해 맹목적으로 달려가네.
–세월은 배척의 명단에 이미 우리를
증오–모르핀 사용자로 올려놓는구나.

SUR LA MONTO NEBO

La gren' inundas. Riĉon vome ĵetas
Maŝinoj. Fluas kun miel' kaj mosto
La akvoj. Flugas por la Pentekosto
Elektraj langoj. Paradizo pretas.

Scienco pompas. Brila art' raketas.
Kaj tamen grincas nur malsat' kaj frosto.
Ho kruda Fato, tranĉa ĝis la osto:
La tempoj grandas kaj la homoj etas.

Nur kelkajn ĝustajn paŝojn, kaj la vojo
Trakurus kampojn de eterna ĝojo,
Sed – ĉie blinda kaj malica strebo.

Atendus prete nin la Kanaano,
Sed ni, en lupa lukto por la pano,
Mizere mortas sur la monto Nebo.

느보 산 위에서

곡물은 넘치네. 풍요를 토해내는 것은
기계들. 꿀과 발효를 앞둔 포도즙과
함께 물은 흐르네. 전기의 혀들이 오순절을
위해 날아가네. 천국이 준비되네.

과학은 뽐을 내고, 로켓을 만들어 냄은
빛나는 예술이네. 그래도 굶주림과 추위만
삐걱거리네. 오, 뼛속까지 자르는 포악한 비운이여:
세월은 위대하고, 인간은 왜소하네.

길은 정확한 몇 발걸음을,
또 영원한 기쁨의 영토를 향해 내달리네,
하지만– 어디에나 눈멀고 악의적인 분투.

가나안은 우리를 위해 기다리네,
하지만 우린 빵을 구하려는 늑대 같은 투쟁 속에서
비참하게 느보 산 위에서 죽어가네.

KASSANDRA

Fridkapa mi jam estas kaj senfebra.
Ne povas min infekti la miasmoj
De la nuntempaj modaj entuziasmoj:
Tro klara estas mia vid' funebra.

Ne estas sav' por ĉi homar' tenebra.
Kurac' heroa, piaj kataplasmoj
Ĝin same ne sanigos el la spasmoj,
Kiuj ĝin portos al pereo nepra.

Forfalos ni en reciproka ĉaso
Per kuglo kaj per bombo kaj per gaso,
Damnitaj kaj ne indaj por vivĝuo.

Kaj post la trabalao de l' Detruo
El la ruinoj prenos freŝa raso
La brikojn por la nova mondkonstruo.

카산드라[11)]

머리는 이제 차갑고, 고열도 가라앉았네.
오늘날 유행하는 열성의 역한 냄새도
나를 감염시킬 수 없네.
너무 명백한 것은 내가 장례식을 본다는 것.

이 깊은 어둠의 인류에겐 구원이란 없네.
영웅적 치료, 경건한 찜질 약들은
필시 인류를 파멸로 이끄는
질식으로부터 인류를
피 흘리게 하지 않게 하네.

인간의 삶엔 위험천만하고 불필요한
총알로, 폭탄으로, 가스로
우리는 서로 사냥하여
파멸할 것이네.

그리고 파괴의 대청소 뒤엔
폐허로부터 신선한 인종이 나와,
새 세계의 건설을 위해 벽돌을 집어 들리라.

---

11)*역주: 그리스 신화에 나오는 여성 예언자

TAMEN

Tamen, la Tempo marŝas sur ferplandoj
Sur certa vojo al la celo klara.
Kadavroj, bruloj kaj homsango mara
Al ĝi la marŝon markas sur vojrandoj,

Sed en konfuzo de l' Ĥaos' homara,
Inter perpleksaj, senkomprenaj bandoj,
La Tempo venke marŝas tra la landoj
Al certa cel' per paŝo senerara!

Kaj vane homaj gregoj ekscititaj
La celon kovras per nebuloj mitaj,
Sin oferante blinde al Fantomo,

La Temp' ne cedas, volas plenumiĝon:
La Mond' graveda naskos homfeliĉon,
La Homo venkos spite al la Homo!

그럼에도

그럼에도, 세월은 철판 위에서,
명확한 목표의 뚜렷한 길로 나아가네.
시체들, 방화, 피바다가 된 인간세계는
그 세월을 향해 길 가장자리에 행진을 표시하네.

하지만 당황하고 몰이해의 무리 사이에서
인류 혼돈의 혼란 속에, 세월은 온 나라를 지나,
승리의 틀림없는 발걸음으로
정해진 목표를 향해 행진하네.

그리고 헛되이도 흥분된 인간 무리는
신화의 안개로 그 목표를 덮고,
환영에게 맹목적으로 헌신하네,

세월은 양보하지 않고, 완성하기를 바라네:
잉태한 세상은 인간 행복을 낳을 것이고,
인간은 그런 인간임에도 불구하고 승리하리라.

LA DISDUIĜINTA KORO

Neniam estis pli pezega nasko!
Naskiĝi volas el uter' abisma
De l' Tempo al la mondo kataklisma
Post la jarmila fast' eterna Pasko.

Sed kiuj indas helpi en ĉi tasko!?
L' amasoj sub instinkto atavisma
Baraktas en batal' anakronisma
Kaj falos kiel disŝirita fasko.

La mond' al Nova Homo apartenas.
Kaj mia koro al la Homo Nova,
Sed tamen, tamen, en dolor' senpova,

Ĝi ankaŭ la falintojn ĉirkaŭprenas,
Disduiĝinte, kun sanglarmo muta:
Ĉar ĝin mi donis al la mondo tuta.

여러 갈래로 나뉜 마음

더 힘든 출산이란 결코 없었네!
수천 년 금식 뒤 영원한 부활절이
세월로부터 대변혁의 세계를 향해
심연의 자궁에서 태어나기를 원했다네.

그러나, 이 임무를 도울만한 이들은 누구인가!?
격세유전의 본능 아래 대중은
시대착오적 전쟁에서 싸우고,
분단된 통일처럼 나락으로 떨어질 것이네.

그런 뒤, 이 세상은 새 인간의 것이 될 것이고,
내 마음도 그 신인간(新人間) 속에 있어도
그래도, 그래도, 어찌할 수 없는 아픔이여.

갈래갈래 찢어지고, 말 못 하는 피눈물 속에
내 마음은 그 쓰러진 자들을 껴안으리라.
나의 그 마음 이미 세상에 주었기에.

KOMPATO

Ho sankta sent', ke ĉies fato,
Ĉies dolor' doloras al mi,
Vin volas nun ĉi kanto psalmi,
Kompato!

Vi liberigas nin el limoj
De nia izolita korpo,
Per vi eksentas en absorbo
L' animoj,

Ke el dispartigita drivo
Saviĝi tamen estas ŝanco
En sendivida prasubstanco
De l' vivo,

Ĉar la konscian vivsubstancon:
La homanimojn vi kunligas,
Kaj por momento neniigas

Distancon

Per transpontantaj nervofibroj,
Tra kiuj kuras la suferaj
Sciigoj haste per misteraj
Travibroj,

Kiel se tra la nervokomplekso
De l' sama korpo kuras plenda
Alarm' urĝanta pri defenda
Reflekso!

Kompat', vi estas la espero:
Per la ekzisto vi atestas,
Ke l' Sendivida Hom' ne estas
Ĥimero!

Ho, el okaza kaj maldika
Faden' de la kunaparteno
Elkresku je eterna ĉeno
Fortika,

Ke ĉesu jam la tragedio

De disŝirigo per kunfando

Anima en la tera lando

De Dio,

Kiun jam de nememoreblaj

Epokoj sentis en korfundoj

Kaj sopiregis en profandoj

Tenebraj

La elektitoj kies kredo

Albrilas tra l' nebulo dika

De la centjaroj por mistika

Heredo;

Kiun, por ŝiri nin el vana

Barakto de l' disvoja volo,

Anoncis Budho per simbolo

Nirvana,

Sed super ĉio la instruo

Kaj korpa sanga ofer−dono

De l' dolĉa reĝ' de dorna krono:

Jesuo.

위로

오, 모든 이의 비운, 모든 이의 아픔이
내게 아픔인, 신성한 감정이여,
지금 이 노래가
위로인 너를 찬양하리.

너는 우리의 고립된 육체 한계로부터
우리를 해방시키고,
너로 인해 영혼들은
심취된 채 감정을 가지게 되었네:

뿔뿔이 흩어진 채 표류함으로부터
구원을 받는다는 것은 그래도
인생의 분리할 수 없는
태초의 정신 안에서 기회가 됨을,

왜냐하면, 그 자각적 삶의 정신들을:
그 인간 영혼들을 너는 하나로 연결해 주고,
또 한순간, 거리를
없애주는 것이라네.

교량 역할을 해주는
신경조직들로 인해 가능하기에,
그 조직들을 통해 고통의 소식은

급하게도 신비롭게 울려 퍼져 달려가네,

마치 똑같은 신체의 신경 복잡계를 통하여
방어적인 조건반사에 대해
불평하며 긴급함을 알리며
내달리는 것처럼!

위로여, 너는 희망일세:
존재로써 너는 증명하노니,
분리될 수 없는 인간은
키메라가 아님을!

오, 우연이면서도
함께 속함의 얇은 실이
강건하고도
영원한 사슬로 자라날터니,

그리하여 이젠 하나님의
지상나라에서
영혼이 함께 어울려
이산(離散)의 아픔은 끝날 것이니

이를 기억될 수 없는 시대들에서부터
이미 마음 저 깊은 곳에서 느껴졌고,

깊은 어둠의 깊숙함 속에서
염원해 왔기에

그 선택된 자들이 그 믿음으로
신비한 유산을 위해
수백 년간
깊은 안개 속을 통해 빛나고,

이를 우리의 여러 갈래가 된
길의 염원이라는
헛된 막사로부터 우리를 빼내 주려고
부처님께서 열반의 상징으로 선포하셨고,

하지만 무엇보다도,
가시관을 쓰신, 달콤한 왕인
예수님이 신체에 피를 흘려
베풂과 가르침이 있었다네.

VESPERO EN LA PARKO

Senmovas arboj en la parko,
Sur la ĉiel' la kurba barko
De l' Nokt', la Luno flosas.
Oblikve tra la branĉtegmento
Vidiĝas en la okcidento
La sun–kisita firmamento,
Kiu nun pale rozas.

Transmonda estas la trankvilo.
Jen silentiĝis eĉ la trilo
De l' bruaj birdkantistoj.
Lulzume nur skaraboj krozas,
La arbobranĉoj dorme pozas,
La parko pace ekripozas
Post la someraj distroj.

Sed la odoroj estas viglaj!
Sin trudas timianoj tiklaj,

Rezedoj, mentoj, malvoj,

Freŝa odor' de l' rosa humo.

Kaj tra ĉi odorfrenezumo

Triumfe pafas rozparfumo

Per ĉiovenkaj salvoj.

Mi sur la mola herbo kuŝas

Kaj mian varman vangon tuŝas

Rosa herbet' petola.

Kun tiu malhelblua arko

De l' firmament', kun la Lun—barko,

Kun parfumsonĝoj de la parko,

Mi estas sola, sola.

La Nokto venas brunkolore,

La Nokto nigras jam. Sed fore

La Urb' matenkrepuskas.

La Urb' albrilas por averto:

Necesas tie lukti lerto;

En grotoj de ĉi ŝtondezerto

La hom' je hom' embuskas.

Necesas tie lukti, skermi,

Aŭ ekstermiĝi aŭ ekstermi

Kun turmentata cerbo:

Necesas en tumulto puŝi,

La donacitan vivon fuŝi...

Beate estas – kuŝi, kuŝi

Sur herbo aŭ sub herbo.

공원에서의 저녁

공원 나무들은 움직임이 없고,
밤하늘의 굽이진 쪽배인
달은 흘러가네.
나뭇가지 지붕의 틈새로 비스듬한
서쪽 하늘의 해님과 벌써 입 맞춘
창공은 지금 창백한
장밋빛되었구나.

세상 너머 적막하네.
이제 요란한 새 소리꾼들의
전음(顫音)조차도 잠잠해졌네.
풍뎅이들만 놀이하듯 순항하고,
나뭇가지들은 조는 듯 늘어져,
공원은 어수선한 여름날이 파한 뒤
평화로운 휴식에 드네.

하지만, 활기를 찾는 것은 향기들이네!
자신을 인정해 달라는
간지럽게 하는 백리향들, 목서초들, 박하들, 접시꽃들.
장미 부식토의 신선한 향기들이네.
전승(全勝)의 일제사격으로
장미 향은 승리하듯 쏘아대네.

나는 푹신한 풀 위에 누워,
나의 따뜻한 빰엔 재잘대는 장밋빛의
어린 풀이 닿는구나.
창공의 짙푸른 활과 함께, 돛단배인 달과 함께,
공원의 향기 꿈과 함께 있어도,
나는 외롭고, 외롭구다.

밤은 갈색으로 와서는,
이제 그 밤은 까맣게 되었네. 그러나 저 멀리서
도시는 여명을 맞이하네.
도시는 날을 밝히며 이런 경고를 하네:
그곳에서는 능숙함으로 싸워야만 한다네.
돌로 만든 사막의 좁은 동굴에선 사람이 사람을 향해 매복하고 있네.

그곳에서는 싸움으로, 칼로, 섬멸되거나 섬멸해야만 하네,
고통을 받는 두뇌와 함께:
그 소란 속에서 선사 받은 삶을 밀어 넣고,
또 달아나야만 하네...
축복을 받을지니-
풀 위에 눕는 자나, 풀 아래 눕는 자나.

LUDO

Ho ludo, dolĉa ludo, vi saĝo de sensenco,
Oaz' de freŝaj fontoj, malgranda paradizo
Loganta el dezerto de nia vivogrizo,
Por ĉiuj vivo—zorgoj plej rara rekompenco,

Nobliĝas per vi proza krudeco de l' esenco
De l' tera amo; kovras, per sorĉa improvizo,
Ĉion kulisoj feaj kun brilo kaj irizo,
Patrino de l' scivolo, de l' arto, de l' scienco!

Ho, se ni fine lernus ekludi jam sen masko,
Ne plu posedavide, glavtinte, trompe, turpe,
Ne kun ponard' kaŝita perfide sub la basko,

Sed gaje kaj sincere, sencele kaj senkulpe,
Kiel la bunta brilo de l' plumoj de kolibroj,
Aŭ kiel sur kristalo irizaj lumovibroj!

놀이

오, 놀이여, 달콤한 놀이여, 너는
뜻 없어도 현명이요, 신선한 샘들의 오아시스요,
우리 삭막한 회색 삶으로부터 유혹하는 작은 낙원이요,
모든 인생의 걱정에겐 가장 고귀한 보답이네.

네가 있기에 이 땅 위의 사랑의 핵심의 산문적
난폭함은 고상해지고; 마술적 즉흥성으로
반짝임과 무지개를 색칠하는 정령들의 무대 배경들은 모든 것을 덮어 주네. 너는 궁금함, 예술과 학문의 어머니여.

오, 우리가 종국에 가면(假面) 없이도 놀이를 배운다면,
더 이상 소유욕은 없어질 것이요, 칼소리에, 속임수에, 아름답지 못하게도,
늘어진 옷자락 아래 배신의 단도를 숨긴 채 차고 다니지 않아도 되리니.

대신, 즐거이, 또 성실히, 목적 없이도, 죄짓지 않고서도,
마치 다채롭게 반짝이는 벌새들의 깃털들처럼,
아니면, 수정 위에 무지개처럼 빛나는 빛의 파동처럼!

CINIKAJ SONETOJ

PROLOGO:

Ciniko, sola eblo
Rifuĝi de l' turmentoj
De la tro premaj sentoj,
Tordantaj nin ĝis febro.

La ŝultrojn sen funebro
Eklevi pri l' eventoj:
Ciniko, sola eblo
Rifuĝi de l' turmentoj.

Sen povo, sed sen feblo,
Eĉ antaŭ danc' en ventoj
Kantzumi tra la dentoj
Ĝis rompo de l' vertebro:

Ciniko, sola eblo ...

냉소의 소야곡들

프롤로그:

냉소적인 것은
우리를 흥분케 하여
쥐어짜, 너무 억압하는 감정이라는
고통을 벗어나는 유일한 해결책이다.

사건들에 대해
애도도 표하지 않고
어깨를 들어 올림이 곧
냉소적인 것이며, 곧
고통을 벗어나는 유일한 해결책이다.

능력 없어도, 하지만 열 내지 않아도
바람 속 춤 앞에서조차도
척추가 으스러질 때까지
입안의 이 속을 통해 노래를 흥얼댐도,

냉소가 유일한 해결책이라네......

I.

Vi estas ja homfrato!
Jen, ĉie veoj krias
Kaj sortosagoj strias:
Vi estus sen kompato?

– Min tia sortobato
Sendube emocias,
Sed, vane, mi ĝin scias
Neevitebla fato.

Surtere ni aspiras
Edenon, kaj aranĝi
Ni scius, sed ni iras
Inferon. Kiel ŝanĝi?
La homo mem kuiras,
Kion li devas manĝi.

1.

그대는 정말 인간 형제라네!
보라, 어디에나 한숨 소리 들리고
운명의 화살들은 줄줄이 날아가네:
그대는 위로도 없이 있단 말인가?

–그런 운명의 때림에
나는 당연히 감동되었네,
하지만, 헛되이도, 난 그게
피할 수 없는 비운이구나 하고 알게 되었네.

이 땅에서 우리는
에덴동산을 그리워하고,
마련할 수 있음을 안다네 우리는.
하지만 우리는 지옥으로 가네. 어떻게 바꾼다?
인간은 스스로 요리해야 하는 것을
스스로 요리한다네.

II.

Ho hom' de l'temp' pasinta,
Vi bela rabobesto
De l'renesanc'! Sub vesto
Kaŝiĝis klingo pinta,

En poŝoj oro tinta;
Vi iris kun majesto
(Nun festo, morgaŭ pesto!)
Tra l' vivo labirinta.

Por granda viv' vi ardis,
La Belon vi solenis,
Kaj murdi vi ne tardis,
Se vin malhelpo ĝenis;
Vi kisis kaj ponardis,
Ĝis – iu vin venenis.

2.

오, 과거의 인간이여,
그대는 르네상스의
아름다운 약탈동물!
옷 속에는 날카로운 칼날이 숨어 있고,

호주머니마다 쨍그랑대는 황금이 숨어 있네;
그대는 근엄하게
(지금은 축제 속에, 내일은 페스트로!)
미로의 삶을 지나 걷고 있네.

그대는 위대한 삶을 열심히 살아왔고,
그대는 아름다움을 성대하게 했네,
그리고 그대는 뭔가 방해받아도
그대는 살인을, 그대는 늦추지 않네;
그대는 키스하고도 단도를 들이대기도 했지,
누군가 그대를 독살할 때까지는.

III.

La homon Belo spronis
Por arto, riĉo, milo
Da verkoj, luksa brilo,
Por krim', se li bezonis.

Kaj ĉion grandan donis
Ĉi krimo, dum la filo
De Bono en humilo
Sangŝvitis. Leĝ' ordonis:

Se Belon vi avidas,
Por koro havu ŝtonon,
Kaj se vin Bono gvidas,
Vi havos nur ĉifonon,
Ĉar Bono Belon bridas,
Kaj Belo murdas Bonon.

3.

아름다움은 인간을
예술, 풍요, 수천의 저작과,
호사와, 범죄를 위해,
인간이 필요했다면, 자극해 왔다네.

그리고 이 죄악은
거대한 모든 것을 주었고,
반면에 선(善)이라는
아들은 부끄러워 피를 땀처럼 흘렸네. 그리곤, 법칙은 명령하네:
그대가 아름다움에 욕심을 부리면,
심장엔 돌을 가지도록 하고,
그대가 선함에 지도를 받는다면,
그대는 넝마만 가질 터이니,
선함은 아름다움을 속박하고,
또 아름다움은 선함을 죽인 이유이네.

IV.

Sed nun – jen sklav' post sklavo,
Maŝinservistoj svarmas,
Ke ĉio, kio ĉarmas,
Fariĝu ĉies ravo.

Ĉu venis do la savo?
Ĉu Bono plu ne larmas,
Ĉu Belo ne alarmas
Por trompo kaj por glavo?

Falinte al profundo,
Ni luktas kun sovaĝo
En ega troabundo
Por eta avantaĝo.
Kain–sigel' sur frunto,
Por – marko de malsaĝo.

4.

그러나, 지금–노예에 이어 또 노예인,
기계를 섬기는 자들이 수두룩하고,
매혹적인 것이라면 어느 것이나
모두에게 매력이 되어버린다네.

이제 구원이 왔는가?
선은 더 이상 울지 않을 것이며,
아름다움이 더 이상
속임을 위해, 칼을 위해 경종을 울리지 않는가?

깊은 곳으로 떨어지고서도,
우리는 거대한 넘치는 풍요 속에서
아주 사소한 이득을 위해 야만스럽게 싸운다네,
이마에 카인의 도장이 있음은
어리석음이란 상표을 위해서...,

V.

Ho homo de l' Futuro.
Vivanta milde, pace,
Ĝardene kaj palace
En lukso kaj plezuro!

El via brila turo
Priridas vi grimace
Nin, kiuj kulpe, lace
Baraktis en teruro.

Senpeka, sendifekta!
Vin nura virt' ornamas,
En vi la krim' infekta
De rab' kaj murd' ne flamas.
Kiel mi vin, perfekta,
Envias – kaj malamas!

5.

오, 미래의 인간이여,
호화롭게, 쾌락 속에
온화하게 평화롭게
정원에서, 또 궁전에서 살아갈!

그대의 반짝이는 탑으로부터
그대는 찌푸린 채,
죄짓고, 피곤해, 고통 속에서
발버둥을 치는 우리를 비웃네.

죄 없구나, 흠 없구나!
그대를 한갓 도덕이 장식하니,
그대 안엔 약탈, 살인의 전염 같은 죄악이란 이글거리진 않네.
난 그대의 완벽함을 부러워하면서도 증오한다네!

VI.

Ho kara samtempano,
Vi iom tro rapidis:
Naskiĝi vi avidis;
Nu do – je via sano!

Ne estas marcipano
La vivo, vi jam vidis:
En brano vi eksidis,
Vin manĝas pork' en brano.

Sed aŭdu! Nun sonoros
Konsolo kvazaŭ tosto:
Ĝismorte ja doloros
Mizero, krimo, frosto,
Sed la printempo floros
Sur – via polva osto!

6.

오, 동시대인이여, 그대는
좀 너무 빨리 달린다네:
그대는 태어나면서 욕심을 부렸네,
그래- 그대의 건강을 위해!

삶이 감복숭아 과자 아님을,
그대는 이미 보았네:

그대는 밀기울 속에 앉아 있고,
밀기울 안에서 돼지가 그대를 먹는다네.

하지만 들어보게! 이젠
축배 같은 위로가 들릴 걸세:
죽을 때까지 빈곤, 범죄,
추위로 아플 걸세.
하지만 봄은
그대의 앙상한 뼈 위에서도 핀다는 것을!

EPILOGO

Ciniko, eblo sola

Rifuĝi de l' sufero

Pro l' stulta modmizero

Per ŝultrotir' frivola,

Jen, al vi mi, scivola,

Min turnis kun espero,

Ciniko, eblo sola

Rifuĝi de l' sufero,

Sed fuĝis vi, petola,

Kaj mi je la apero

Atendis sen prospero

Kaj restis senkonsola:

Ciniko, eblo sola ...

에필로그

냉소가
천박한 어깨를 움츠려
멍청한 세상 가난의
고통을 벗어나는 유일한 해결책이다.

이젠, 나는 궁금해 그대에게,
희망을 안고 몸을 돌리네,
냉소가
고통을 벗어나는 유일한 해결책이네.

하지만 그대는 재잘대며 피해버렸네,
나는 그대가 나타나기만
번성함도 없이 기다리다가,
아무 위로도 받지 못한 채 남아 있네.

냉소가 유일한 해결책이라네....

PROTESTO

Mi estas tiel laca, kiel la mont' maljuna,
Kiun jam tedas teni la herbon kaj la humon,
Kaj kiu ĉi fatrasojn forŝutas kaj la lumon
De l' suno nude sorbas per sia roko bruna.

Mi estas tiel laca, kiel la arb' maljuna,
Kiun jam tedas teni folian verdon; neston,
Kaj kiu de l' folioj forŝutas lastan reston,
Kaj al ĉiel' sin streĉas kun la branĉaro bruna.

Mi estas tiel laca plu servi, flori, frukti,
Mi volus sorbi sunon, kun grandaj ventoj lukti,
Kiel la nuda monto kaj senfolia arbo.

Libere de utilaj kaj oportunaj sentoj,
Interparoli sole kun tiuj grandaj ventoj,
Potence kaj fantome – sentempa eolharpo...

저항

나는 저 고령의 산처럼 지쳤네.
저 산은 이제 풀도, 부식토도 담고 있는 것에 지쳤네.
저 산은 또 이 잡동사니들을 쏟아버리고,
갈색 암석으로 벌거벗은 채 햇빛을 흡입하네.

나는 저 고령의 나무처럼 지쳤네.
나무는 이제 초록 잎도, 둥지도 담고 있는 것에 지쳤네.
저 나무는 또 이 잎들로부터 최종 휴식마저 뿌리치곤,
갈색 가지들로 긴장한 채 하늘로 뻗어 있네.

저 민둥산처럼, 저 잎사귀를 떨어버린 나무처럼
나는 이제 더 이상 봉사하고, 꽃피우고, 열매맺을 수 없을 정도로 지쳤으니, 내가 저 태양을 흡입하고,
또, 저 강한 바람과도 싸울 수 있으면 좋으련만.

유용하고도 편리한 감각들로부터도 자유로이,
저 강한 바람들과도 홀로 대화할 수 있었으면.
강력한 유령처럼-시간을 초월한, 바람에 소리나는 하프 현악기처럼.....

JAPANESKOJ

En mond' konfuza, kor' kontuza
Eksonas ĝeme, disonance,
Kaj tamen, pri l' dolor' obtuza

Ekkanti volus ritmodance,
Kaj volus por muzik' per tordoj
Agordi liron, sed, malŝance,

Jen krevas unu, du, tri kordoj,
La lasta restas, nur la lasta.
Malplene sonas sen akordoj

Ĉi kordo orfa, malelasta,
Kaj dum ĝi sonas tamen, spite,
Ne sonas kantileno vasta,

Nur etaj kantĉifonoj, splite...

일본풍

혼돈의 세계, 혼돈의 마음에서
한숨과, 부조화음의 소리가 난다.
또 그래도 둔한 아픔의 소리도 난다.

리듬에 맞춰 노래 부르고 싶고,
거문고를 비틀어 연주해 음악을 만들려 해도,
불운하게도,

현이 하나둘 셋 끊어지고,
마지막 남은 하나, 마지막 하나만.
화음 없이 텅 빈 소리만 울린다네.

이 외로운 현 하나 느슨해진 채
또, 그 현이 소리가 나도, 그럼에도 불구하고,
널리 애가(哀歌) 소리는 나지 않네.

겨우 여린 노래만 조각 조각난 채...

NATURO

Serenado

Trilon de grilo
Sur kampo, en mallumo
De somernokto,
Akordoj akompanas
De fajna fojnparfumo.

La senhonta rozo

La rozburĝono
Petalon post petalo
Malfermas nokte.
Jam nudas. Ve, se venos
Maten', estos skandalo!

Revo

La vagabondo
En la vesper' serena
Verŝiĝi lasas
L' arĝenton de la luno
Al sia poŝ' malplena.

Aŭgusta nokto

La steloj pluvas
Kaj pluvas kun persisto.
Pro l' stela pluvo
El mia kor' ekĝermas
La fru—aŭtuna tristo.

Gruoj

En triangulo
La gruoj grege iras.
Liter' giganta!
Mi volus VO prononci,
Sed VE mi elsuspiras.

Prujno

Kia teruro
Fantomis tra l' arbaro,
Ke pro l' hororo
Al ĝi dum unu nokto
Griziĝis ĉiu haro?

La semoj

– La semoj vivas!
Do ne afliktu vin tro
La frosto murda.
– Jes, sed ĉu ili vivos
Ĝis fino de la vintro?

Viktimo

Printempo milda
Donacas flor–aromon,
Brilon kaj gajon,

Tamen, kruele murdas

La povran neĝohomon.

Konvalo

Ho, se l' oreloj

Pli akrus en ĉi gaja

Maten', kaj aŭdus

La etajn sonorilojn.

De la konvalo maja!

Lilio

Lilio logas,

Kiel virgin' naiva,

En ĉasta blanko,

Sed gardu vin, vi svenos

Pro ĝia spir' lasciva!

Vento

La vento vokas

Por vag' de vagabondo.

Ho, bone estus

Kuniri, kune fajfi

Tra l' mondo, kaj pri l' mondo!

자연

소야곡

흑암의 여름밤
들판에서
귀뚜라미 소리는
건초 향기를
화음으로 동반하네.

부끄럼 없는 장미

밤에
장미 꽃봉오리가
꽃잎을 하나둘 여네.
벌써 다 벗었네. 저런
날이 새면 스캔들 나겠네.

꿈

맑은 저녁 저 방랑자는
빈 호주머니 속으로
은은히 쏟아지는 달빛을
가만히 두네.

8월의 밤

별들은 끊임없이
비처럼 쏟아지네.
비처럼 쏟아지는 별들로

내 마음은 초가을
서글픔이 자리하네.

두루미들

두루미들이
삼각 모양 만들어 떼를 지어 가네.
큰 글자 같네!
나는 V자로 표현하려는데,
입은 'VE'[12]라는 한숨이 되어버리네.

서리

공포로 하루 밤새
만물의 머리카락이
회색이 변했는데,
온 숲을 이런 환영의
공포로 만드는 것은 도대체 뭐란 말인가?

씨알들

-저 씨알들이 살아 있구나!
그래, 살을 에는 추위에
너희들에겐 그 고통이 너무 크지 않았으면.
-그래, 하지만, 저 씨알들이 겨우내
살아남으려나?

희생자

---

12) *역주: 아쉬움, 한탄 등을 나타내는 감탄사

따뜻한 봄은
꽃향기, 화사함,
즐거움 선사하지만
불쌍한 눈사람에겐
잔혹한 죽음을 안기네.

은방울꽃

오, 내 귀 밝아서
이 상쾌한 아침에
저 작은 종소리를 들을 수 있었으면.
저 오월의 은방울꽃의 종소리도 들었으면!

백합

백합은
순결한 하양으로
청순한 처녀처럼 유혹하지만,
님이여, 조심하여요.
님은 저 선정적인 숨소리에 기절할 거예요.

바람

바람은
나그네의 방랑을 부르네.
오, 온 세상을, 온 세상에 대해
함께 갈 수 있었으면,
함께 휘파람도 불어 보았으면!

HOMO

Disĉiplo

Someran riĉon
Aŭtuna frost' ekstermis:
Krei kaj murdi,
Ho vi Natur' kruela,
La Homo de vi lernis!

Malamo

Malami multon
Povas la hom' sovaĝe.
Ami li povas
Sole sin mem; eĉ tion
Li faras tre malsaĝe.

Konsolo

Aer—atako.

Laŭ la ĵurnalraporto
Mil homoj mortis.
Konsolo: ĉiu mortis
Per unu sola morto.

Respondo

Mil homoj mortis
Kaj trovas vi motivon
Por la konsolo:
Ja ĉiu perdis sian
Unu kaj solan vivon!

Demando

De lud' kun fajro
Ni gardas la infanon.
Al homoj kia
Senzorga Patro donis
Bombojn kaj aeroplanon?

Tasko

Ami la homon,

Jen malfacila tasko.

Ne pli facila,

Ol kisi amfervore

Amaton en gasmasko.

Konvinkiĝo

La hom' la vivon

Laŭ mondkoncept' arangâs,

Ne povas agi

Kontraŭ la konvinkiĝo,

Prefere li ĝin ŝanĝas.

Batalo por vivo

Malsataj ratoj

En plena sil' da rizo

Batalas sange

Por unu sola grajno:

Ekonomia krizo.

La historio

La patroj sangas

Por la futur' de l' filoj,

La filoj sangas

Pro la pase' de l' patroj:

Jen saĝo de l' armiloj.

Paradiza eraro

Eraris Eva

Pri l' pom' en paradizo,

Ĉar ja ne povas

Ĝis nun la hom' distingi

Inter malbon' kaj miso.

Konkluda deziro

El lunradioj

Arĝentan ŝnuron ligi,

Sur lun' kreskanta

Pendigi min, kaj langon

Moke je l' mond' eligi...

사람

제자

풍성한 여름날을
냉랭한 가을날은 가게 하네:
창조하고 사멸케 하는 이는
오, 그대, 잔혹한 자연이네,
사람들이 그대로부터 이를 배웠네!

증오

사람은 야만스레
많은 것을 증오할 수 있고
사람은 오직
자신만 사랑할 줄 아네;
그래도 사람은 이마저도
매우 어리석게 행하네.

위로

공중폭격.
신문엔 1천 명이 죽었단다.
위로를 한다면:
사람은 누구나 단 한 번 죽어
세상을 떠난다지.

대답

1천 명이 죽었다니,

그대는 위로할 동기를 찾았다네:
사람은 누구나 정말로
자신의 한 번뿐이고도
유일한 삶을 잃는 것이라네!

질문

불놀이하며 노는 아이를
우리는 지켜보네.
어느 무심한 아비가
인간에게
폭탄과 비행기를 주었는가?

임무

한 사람을 사랑함이란
이제 어려운 임무라오.
가스 마스크를 쓰고서
연인에게 키스하기보다
더 쉽지도 않아요.

확신

사람은 인생을
세계관에 따라 살아가고,
확신과 반대로
행동할 수 없으니,
사람이 그 확신을 바꾸는 편이 나아요.

삶을 위한 투쟁

넓은 쌀 두지 속에
배고픈 쥐들이
피 튀기며
하나 남은 한 톨을 놓고 싸우네:
경제 공황.

역사

아버지는
자식들의 미래를 위해 피를 흘리고,
자식들은
아버지의 과거 때문에 피를 흘리네:
이게 바로 무기의 법칙이라네.

낙원의 실수

이브는
낙원에서 사과를 두고 실수했다.
그것은 지금까지
사람들이 악과
실수의 차이를 구분 못 한 때문이라오.

종국의 염원

달빛으로
은빛 줄을 만들고,
커가는 달에
나를 매달아, 세상을 향해
혀를 내밀어 비웃게 해 다오......

AMO

Degelo

Degelas milde

Sub dolĉa amnarkoto

La koro frosta.

Atentu! La printempan

Degelon sekvas koto!

Kiso

Unua kiso:

Eterno en minuto!

Fandiĝ' mistika:

El du frakcioj iĝas

Ne plu rompebla Tuto!

Ebrio

L' okulojn kovras

Per rozkolora vindo
La amo. Vagas
Ebrie la amantoj
En rozkolora blindo.

Adoro

Per siaj revoj
L' amatan oni oras;
Farinte tiel
Pli belan memon, oni
Sincere sin adoras.

Danĝero

L' amata estas
Balon' de fea revo.
Se vi ĝin kaptas,
Ju pli vi ĝin alpremas,
Des pli minacas krevo.

Krizo

Pli longe ami
Iun ol tiu amas
Aŭ malpli longe:
Ĵaluzo aŭ kompato:
Turmento preskaŭ samas.

Ĝemo

Ho amo, amo,
La homo vin elporti
Ne povas longe:
Li devas, nepre devas
Aŭ murdi vin aŭ morti.

사랑

녹아내림

달콤한 사랑에 취해
얼음 같은 마음은
온화하게 녹는다.
주의해요! 녹는 봄을 뒤따르는
진흙탕이 있음을!

키스

첫 키스:
순간 속의 영원!
신비한 융화:
부분 두 개가
이젠 깰 수 없는 하나 됨!

취함

장밋빛 붕대로
눈을 가리는 것은 사랑이오.
장밋빛 맹목에
취해 헤매는 이는
사랑하는 이들이네.

숭배

사람은 자기 꿈으로
자신의 연인을 금빛으로 만들고;

그렇게 더욱 어여쁜
자신을 만들어,
신심으로 자신을 숭배하네.

위험

사랑받는 이란
요정이 지닌 꿈의 풍선이네.
님이 그 풍선 잡아
풍선 세게 누를수록
터질 위험은 더욱 커가오.

공황

누군가를 그이가 사랑하는 것보다,
더 오래 사랑하거나,
덜 오래 사랑함은:
질투 아님 동정이라오:
고통은 이나 저나 마찬가지요.

신음

오, 사랑, 사랑이여,
사람은 사랑-그대를
오랫동안 품진 못하네;
사람은 사랑-그대를 꼭
죽이거나, 아니면 자살하거나 한다네.

시인 소개

칼만 칼로차이 (Kálmán Kalocsay)
(1891. 10. 6 ~ 1976. 2. 27)

헝가리 태생의 교수이자 의사였던 칼로차이는 에스페란토 문학과 에스페란토 언어의 발전에 크게 이바지한 위대한 인물이다. 1911년 에스페란토에 입문해 1921년 시인으로 데뷔했고, 『긴장된 현 Streĉita Kordo』으로서 정점의 위치를 차지했다. 나중에는 주로 편집과 번역에 투신했다. 방대한 번역서 중에 대표적으로 『인간의 비극(Tragedio de l'Homo)』, 『자유와 사랑(Libero kaj Amo)』, 『영원의 꽃다발(Eterna Bukedo)』, 『지옥(La Infero)』, 『리어왕(Reĝo Lear)』, 『한여름밤의 꿈(Somermeznokta Sonĝo)』, 『템페스트(la Tempesto)』 등이 있고, 봐링겐(G. Waringhien)과 공역한 『악의 꽃(La Floro de l' Malbono)』과 『노래와 로망스(Kantoj kaj Romancoj)』가 있다. 『헝가리문선(Hungara Antologio)』도 편집했는데, 그 중 시(詩) 부문은 거의 전부 자신이 직접 맡아 번역했다. 전설적 잡지 『문학세계(Literatura Mondo)』 편집장으로서 제1차 세계대전 이후 에스페란토 문학에 깊은 영향을 주었다. 언어 관련 작품 『언어 문체 형태(Lingvo Stilo Formo)』, 『시간여행(Vojaĝo inter la Tempo)』과 봐링겐과 협력한 『완전 문법(Plena Gramatiko)』, 『지도서(Parnasa Gvidlibro)』가 출판되었다. 세계에스페란토협회 영예 회원(Honora membro)으로 위촉되었다.

ADIAŬO

Nun ĉe l' abismo, antaŭ l' fata salto,
En la momento lasta, vere lasta,
Ni frapu sur la kordo malelasta,
Ni frapu morne, sen esper' pri halto,

Kaj antaŭ la falego el la alto
Ni adiaŭu al la revo ĉasta,
Kiun ni, malgraŭ trista spert' kontrasta,
Pri l' homfuturo flegis en ekzalto!

Forsonos kant', kaj mortos trilkoncertoj!
Dezertas koroj, kaj, post sangelĉerpo,
La landoj same iĝos jam dezertoj,

Kie apenaŭ kreskos eĉ la herbo.
Kaj flugos ne alaŭdoj sed vespertoj
Ĉe l' tomb', kie sin murdis la homcerbo.

이별

심연(深淵) 앞에, 숙명의 건너뜀을 앞둔 지금
마지막, 정말 마지막인 이 순간,
우린 탄성 잃은 현을 두들겨 보오,
멈출 생각 않고 슬피 두들겨 보오.

또 고음(高音)에서 훌쩍 뛰어내리기에 앞서
우리는 순결한 꿈에 이별하세.
우리가 대비되는 슬픈 경험에도 불구하고
인류 미래를 향해 의기양양 보살펴 온 그 꿈에.

노래가 사그라지고 전음(顫音) 연주회들도 없어지네!
사람들 마음도 이제 삭막해져 있고, 또 피마저 다 쓴 뒤,
각 나라도 똑같이 사막처럼 될 거요.

그 사막엔 풀조차도 자라지 않을 거요.
인간 두뇌의 자살로 생긴 묘지에는
종달새들은 없고 박쥐들만 날아다닐 거요.

Vortoj de tradukinto

Esperanto estas internacia lingvo.

Ĝi estas internacia komunikilo.

Tamen iam partoprenantoj de la Esperanto - Movado povas senti sin en la stato de izolo pro diversaj kialoj, tiam devas venki izolon, kiun la partoprenantoj komprenu en la rigardo de plezuro, simpatio, favoro kaj pozitivo. Nur tiam ili povas fariĝi bonaj uzantoj de la lingvo Esperanto.

La poemaro Izolo de Kálmán Kalocsay montras al legantoj kiel uzi sian izolecon, kiel venki izolecon, kaj kiel uzi la izolecon por kreo de verko.

Estu mia traduko kompreni la poemaron Izolo de Kálmán Kalocsay.

- Ombro

번역 후기

에스페란토는 국제어입니다. 소통의 언어입니다.

그러나 에스페란토 운동에 참여한 이는

끊임없이 다가오는 "고립"이라는 낱말을

때로는 즐거움으로

때로는 공감으로

때로는 배려심으로

때로는 긍정의 시선으로 바라보아야만

진정한 에스페란토 사용자로 남을 수 있을 겁니다.

그런 면에서 열정의 시인

칼만 칼로차이(Kálmán Kalocsay)의 시집 『고립』은

에스페란토를 화두로 살아가는

에스페란토 사용자에겐 어떻게 "고립"을 활용하고, "고립"을 벗어나, 소통하고자 하는 "자기 존재"를 확인하는 창작 작업을 엿볼 수 있는 좋은 재료입니다.

제 번역이 칼만 칼로차이의 『고립』을 이해하는 길이 되었으면 합니다.

2023년 6월,

뻐꾹새가 우는 쇠미산 자락에서

역자 올림

Verkoj de tradukinto
역자의 번역 작품 목록

-한국어로 번역한 도서

『초급에스페란토』, 『가을 속의 봄』

『봄 속의 가을』, 『산촌』

『초록의 마음』

『정글의 아들 쿠메와와』

『세계민족시집』

『꼬마 구두장이 흘라피치』

『마르타』

『사랑이 흐르는 곳, 그곳이 나의 조국』

『바벨탑에 도전한 사나이』(공역)

『에로센코 전집(1-3)』

-에스페란토로 번역한 도서

『비밀의 화원』, 『벌판 위의 빈집』

『님의 침묵』,

『하늘과 바람과 별과 시』

『언니의 폐경』

『미래를 여는 역사』(공역) 등